Alain Mabanckou

LUMIÈRES DE POINTE-NOIRE

Seuil

TEXTE INTÉGRAL

© Caroline Blache, pour les photographies des pages
53, 71, 89, 99, 118, 137, 148, 157, 180, 192, 205, 223, 232, 245
© Archives privées d'Alain Mabanckou,
pour les photographies des pages 22, 40, 45, 77

ISBN 978-2-7578-6507-1
(ISBN 978-2-02-100394-9, 1re publication)

© Éditions du Seuil, 2013

maintenant les heures mûrissent
sur l'arbre du retour
pendant que l'assoupissement
convoite les paupières
accablées par la poussière des regrets

un gamin va naître jadis

Première semaine

La femme aux miracles

J'ai longtemps laissé croire que ma mère était encore en vie. Je m'évertue désormais à rétablir la vérité dans l'espoir de me départir de ce mensonge qui ne m'aura permis jusqu'alors que d'atermoyer le deuil. J'ai encore sur le visage la cicatrice de cette disparition, et même s'il m'arrive de l'enduire d'une couche de joie factice, elle remonte à la surface lorsque s'interrompt soudain mon grand éclat de rire et que surgit dans mes pensées la silhouette de cette femme que je n'ai pas vue vieillir, que je n'ai pas vue mourir et qui, dans mes rêves les plus tourmentés, me tourne le dos et me dissimule ses larmes. Dans n'importe quelle contrée où je me retrouve, pour peu que j'entende un chat miauler dans la nuit ou un concert d'aboiements de chiens en rut, je lève la tête vers le ciel et repense à une des légendes de mon enfance, celle de la vieille femme que nous croyions apercevoir à l'intérieur de la lune et qui portait une hotte bien chargée sur la tête. Nous autres gamins ne la désignions que du bout du nez en élevant légèrement le menton, persuadés qu'il ne fallait en aucun cas la pointer du doigt ou émettre le moindre son au risque de se réveiller le lendemain frappés de surdité, de cécité, voire de l'éléphantiasis ou de la lèpre lépromateuse. Nous étions toutefois conscients que la femme aux miracles n'en voulait pas aux enfants et que ces maladies redoutables qu'elle pouvait infliger aux épieurs étaient des sanctions destinées aux adultes qui essayaient d'apercevoir sa nudité lorsqu'elle se baignerait là-haut dans sa rivière de nuages. Ces vicieux étaient incités par une poignée de charlatans qui soutenaient que surprendre la silhouette de la vieille femme sans ses vêtements apporterait une bénédiction dans les affaires et une chance dans la vie quotidienne. Or nous n'étions pas de ceux qui attendaient une quelconque fortune, et c'était sans doute pour cela que, tapis dans l'herbe humectée, nous fermions nos yeux pour que cette femme ne s'imagine que nous recherchions la même chose que les grandes personnes. Elle devait se marrer là-haut puisqu'elle pouvait décrypter le fond de notre pensée et deviner notre présence grâce à son ouïe infaillible. Elle se retournait, regardait à gauche et à droite, puis s'éclipsait juste au moment où nous nous mettions à plat ventre et feignions de dormir d'un profond sommeil. Nous savions qu'elle n'était pas loin, qu'elle nous épiait, et peut-être appréciait ce qui s'apparentait pour nous à un jeu de cache-cache.

Elle réapparaissait, et nous la découvrions, de profil, en ombre chinoise captive des nuages opaques. Nous suivions sa lente déambulation et étions médusés lorsque de sa hotte s'échappait une myriade d'étoiles filantes, véritable feu d'artifice qui ouvrait l'heure des roulements de tambour dans la région. À cet instant, un enfant était sans doute en train de naître quelque part, un enfant qui ignorait qu'il devait son souffle à cette femme ployée par la pénitence, mais garante de toute vie sur terre. Dans le même temps, alors que tout se calmait dans la voûte céleste et que la lune se retirait enfin, deux ou trois étoiles s'éteignaient en pleine course comme atteintes par la balle d'un chasseur posté derrière nous. Nous nous regardions, attristés. Quelqu'un était mort quelque part, et nous nous mettions à genoux, le menton collé à la poitrine pour marmonner : « Que son âme repose en paix… »

Qui était cette nomade des nuits de pleine lune dont personne n'avait vu le visage ? On racontait que son histoire remontait au temps où la Terre et le Ciel se chamaillaient sans répit. La Terre reprochait au Ciel son inconstance, ses caprices, ses sautes d'humeur et ses rugissements pendant que le Ciel blâmait la Terre pour son inconscience. Entre ces deux griefs, Dieu devait trancher et donna raison au Ciel parce que c'était là qu'Il habitait. La femme aux miracles s'était alors sacrifiée, prenant sur elle les péchés nés de l'inconscience humaine. Elle empêcha du coup une catastrophe qui aurait entraîné l'extermination de l'espèce humaine. Au cours de la saison qui précéda ce sacrifice de propitiation, plusieurs villages du sud du Congo connurent une sécheresse et une disette sans précédent. Les animaux trépassaient les uns après les autres tandis que la flore se réduisait au point que même les sorciers les plus optimistes prédisaient la disparition de la forêt du Mayombe en moins d'un trimestre et la progression d'un paysage désertique implacable auquel personne ne survivrait. Cette année-là, la viande de brousse n'était plus qu'un vague souvenir. Tout devint comestible pour survivre, et certains villageois firent fortune dans le commerce des margouillats, des lucioles, des fourmis, des cafards, des mouches et des moustiques. Au bout de deux mois, ces bestioles envahissantes n'existaient plus nulle part. Le bruit courait que dans certaines tribus, dès que quelqu'un mourait, on se disputait son cadavre pour se garantir au moins une semaine entière de nourriture.

L'effacement de notre contrée fut annoncé d'une voix éraillée par une enchanteresse aveugle, paralysée des deux jambes et qui, pour se déplacer, traînait son derrière par terre. Elle dévoila que les aiguilles du Temps oublieraient notre région, que dans les jours à venir elles s'arrêteraient à minuit, puis le lendemain de cet instant fatal, à leur réveil, les habitants feraient face à d'autres réalités : la rareté ou l'absence d'eau, la multiplication des mirages, les vents sablonneux et la canicule meurtrière. Au départ on ne prit pas au sérieux ces augures. Tout le monde pensait que la sorcière aveugle et paralytique était prisonnière de ses propres délires, car comment expliquer que chaque soir, devant sa propriété, elle vendait des bananes que personne n'achetait, mais qui pourtant s'écoulaient ? Où les trouvait-elle alors que le désert avait mangé plus de la moitié du territoire du Sud ? Qui étaient ces clients dont le nombre croissait au jour le jour ? C'était en réalité le début des illusions, la marchandise de la sorcière n'était que le fruit de l'imagination des habitants.

Une semaine après ce qu'on appela « l'Annonce », les premiers signes de la fin des temps devenaient de plus en plus perceptibles. Les oiseaux avaient déserté le ciel, gouffre béant dans lequel on apercevait l'étendue d'une colère divine dont les mobiles échappaient aux sorciers les plus futés, impuissants devant la panoplie de leurs amulettes devenues taciturnes et sans inté- rêt. Ces sages, réunis en session plénière, prirent une décision qui souleva le tollé général : il fallait qu'une femme soit « livrée » afin d'apaiser la foudre divine et de porter sur sa tête les péchés des humains. Selon cette auguste assemblée, les hommes n'avaient pas ce pouvoir de rédemption que Dieu avait exclusivement transmis à la gent féminine. Celle-ci perçut ce verdict comme un abus, et la plupart des jeunes femmes se dérobèrent, prétextant qu'elles avaient le devoir d'assurer la continuité de la descendance. Il ne restait plus que les plus âgées. Elles aussi estimaient que ce n'était pas parce qu'elles étaient au crépuscule de leur existence qu'elles devaient accepter une telle abnégation ourdie par des vieillards dont la couardise était camouflée par leur prétendue connaissance de la science des ténèbres. Qu'avaient-elles d'ailleurs à gagner puisqu'elles étaient au terme de leur vie, et pourquoi se sacrifieraient-elles pour un bonheur qu'elles ne verraient pas ? Pendant que les hommes et les femmes s'opposaient, la situation empirait. Le désert avait absorbé une bonne partie de la forêt du Mayombe et s'orientait à grandes enjambées en direction du centre du pays. Devant la défaillance générale, la femme aux miracles descendit de sa cabane perchée au-dessus de la montagne et se présenta spontanément auprès des sages. Au cours d'une nuit de pleine lune, quatre de ces sages du village Louboulou et l'ensemble des sorciers l'entraînèrent loin, très loin dans ce qu'il restait de brousse dans la contrée. Bouc émissaire pour certains, victime expiatoire pour d'autres, elle avait les mains attachées derrière à l'aide des lianes. La hargne avec laquelle on la bousculait illustrait combien la communauté avait la conviction que la vieille était la cause du malheur qui frappait la région. Elle n'était plus une simple volontaire mais une vraie coupable qui s'était dénoncée d'elle-même, et cela suffisait pour que certains s'emparent d'un fouet et la frappent en serrant les dents. Stoïque, elle ne bronchait pas et suivait son chemin de croix.

Le groupe déboucha sur un point d'eau si minuscule qu'on pouvait parier qu'il tarirait dans les prochaines heures. La lune était pleine, effleurait la crête de la plupart de ces arbres vaincus par la sécheresse. L'œil céleste avait décidé d'être le témoin de ce règlement de comptes entre humains et éclairait la scène jusqu'à ce qu'un sorcier lise d'une voix chevrotante l'acte d'accusation et décrète au nom de l'intérêt général que la vieille habiterait dorénavant dans ce disque lumineux et porterait une hotte sur la tête jusqu'à la fin des temps. Soumise, la sacrifiée s'agenouilla au milieu du point d'eau, les mains toujours liées et la tête levée vers le ciel. Elle n'émit aucun bruit lorsque, se détachant du groupe, un des sorciers vint avec un couteau qu'il leva au-dessus de sa tête. Il y eut un silence de cimetière quand le sorcier, d'un geste vif et déterminé, sectionna la gorge de la femme. La lune se replia aussitôt pour ne réapparaître que le mois suivant, cette fois-ci avec, à l'intérieur d'elle, une vieille femme portant une hotte sur la tête. Les habitants du sud du pays la découvrirent avec stupéfaction.

On décida que le premier vendredi de chaque nouvelle année serait la fête du Sacrifice pendant laquelle on rendrait hommage à la vieille. Les oiseaux traversèrent de nouveau notre ciel, la pluie tomba durant une semaine, la récolte redevint fructueuse pendant que les poissons fourmillaient dans des rivières en crue et que les animaux se démultipliaient dans une brousse grouillant de toutes les espèces...

*

16

J'ai certes grandi, mais la croyance demeure intacte, protégée par une révérence réfractaire à la tentation de la Raison. Et je ressens encore plus cette foi depuis que je suis revenu au bercail après plus de vingt-trois ans d'absence. Chaque nuit de pleine lune, l'angoisse me saisit et me pousse dehors. Je remarque tout autour de moi les silhouettes des objets comme des ombres qui m'épient et s'étonnent que je ne rende pas hommage à la femme aux miracles. Et je regarde vers le ciel en me disant que cette vieille bohémienne a peut-être trouvé le repos éternel et a été remplacée par une autre femme un peu plus jeune qu'elle, celle que je connais le plus et qui aurait, elle aussi, accepté un tel sacrifice, cette femme qui m'a mis au monde, Pauline Kengué, et qui, je le dis et l'écris maintenant pour que se dissipe toute ambiguïté, est morte en 1995...

La femme de nulle part

De ma mère, j'ai le souvenir immarcescible des yeux marron clair dont il me fallait sonder la profondeur pour discerner ses soucis qu'elle me dissimulait à travers la contraction soudaine de ses pupilles. C'était pour elle un réflexe de protection et pour moi une des raisons qui expliquaient qu'elle ne m'avait réellement jamais regardé droit dans les yeux durant mon enfance. Je me méfiais alors de ses moments de joie exagérément expansifs qui, au fond, grimaient ses chagrins, me renvoyant la fausse image d'une mère cuirassée contre les tracasseries de la vie quotidienne. Sans y parvenir je recherchais dans ses actes les plus veules le signe d'une souffrance intérieure et me heurtais à ce masque de sérénité qu'elle a porté tout au long de sa brève existence. Pour elle, être vulnérable en face de moi était le comble du déshonneur. La plupart de ses initiatives poursuivaient un seul et unique but : me prouver qu'elle était capable de surmonter n'importe quelle difficulté grâce à la bénédiction de nos ancêtres, comme la fois où elle rêva que sa défunte mère N'Soko avait enfoui cinq cent mille francs CFA dans le sable de la Côte sauvage où elle se rendit dès l'aube, les yeux à moitié fermés, les cheveux encore ébouriffés. Elle tomba sur le joli magot qui lui permit de relancer son activité.

De même, lorsqu'elle rentrait du Grand Marché et que ses affaires n'avaient pas été lucratives, elle détournait mon attention, me demandait d'aller acheter un litre de pétrole, des mèches de rechange pour nos deux lampes-tempête Luciole et s'enfermait dans sa chambre où elle refaisait ses comptes. Elle ignorait que j'étais de retour, que je l'entendais murmurer des prières, se moucher et prononcer à plusieurs reprises le nom de ma grand-mère entrecoupé de sanglots. Je savais que ce n'était pas la journée de déveine qui la mettait dans cet état, mais la présence d'un épouvantail placé derrière la porte de sa chambre et qui m'effrayait avec son chapeau de paille. J'avais le sentiment que c'était un humain qui nous guettait et bougeait réellement. Ses haillons ressemblaient à des lianes entremêlées qui s'agitaient dès qu'on pénétrait dans la pièce. Ma mère avait assisté à sa fabrication à Louboulou, le jour où grand-mère N'Soko, affligée après la découverte de sa plantation de maïs à moitié ravagée par une armée d'oiseaux opiniâtres, avait placé cette protection au milieu de son champ. Bien des années plus tard, à la mort de grand-mère, maman Pauline avait tenu à hériter de cet objet alors que ses frères et sœurs, étonnés par son insistance et son détachement à l'égard des biens matériels, s'étaient rués sur le bétail et la plantation qu'ils avaient vendus puisque personne d'entre eux ne souhaitait s'établir en brousse.

J'avais pour consigne de ne pas m'approcher de cet épouvantail sans l'ordre de ma mère. Était-ce utile qu'elle me le rappelle alors que j'étais intimidé par l'existence de ce personnage dont je ne comprenais pas l'utilité dans notre demeure ? Je tremblais lorsque, à la veille d'un devoir de contrôle ou d'un examen de fin d'année, ma mère m'obligeait à le saluer avant d'aller à l'école. Comme j'hésitais à avancer vers le croque-mitaine, elle me rassurait :

– Il te portera chance, et c'est lui qui te dira ce que tu devras écrire pour avoir une bonne note…

L'épouvantail que nous appelions Massengo avait connu, lui aussi, tous nos déménagements dans la ville. Lorsque nous étions locataires au quartier Fonds Tié-Tié, il était là, calé derrière la porte de la chambre de mes parents. L'année où nous avions résidé chez tonton René pour garder sa maison pendant qu'il était à l'étranger pour un stage professionnel, Massengo était aussi avec nous. Quand nous sommes devenus propriétaires au quartier Voungou, il était encore là. Chaque fête de nouvel an, ma mère lui déposait une assiette de porc aux bananes plantains, le plat typique de la tribu des Bembés. Elle lui parlait pendant au moins une heure pour le tenir au courant de ce que nous avions réalisé au cours de l'année et de ce que nous espérions entreprendre tout au long de celle qui commençait. Et je sus plus tard que ma mère n'avait pas de compte en banque, qu'elle gardait ses économies dans un trou que couvraient les haillons de Massengo dont on disait qu'il avait le pouvoir de multiplier par dix les économies qui lui étaient confiées. J'y croyais, d'autant que ma mère n'était jamais à sec…

Malgré les précautions qu'elle prenait pour ne pas me dévoiler ses inquiétudes, maman Pauline ne parvenait pas à m'escamoter sa fragilité quand, agacé qu'elle ne pose toujours pas ses yeux sur moi alors que je déployais tous mes efforts à les traquer, je lui demandais si quelque chose n'allait pas bien. Évidemment elle s'empressait de rire aux éclats, de me rassurer que je me faisais du souci pour rien, qu'elle se portait bien puisqu'elle riait et que quelqu'un de soucieux ne pouvait

pas avoir son attitude détendue et joyeuse. Rajoutant à son petit cirque une décontraction trop appuyée pour être spontanée, elle me racontait une histoire, passant du coq à l'âne sans contenir cette hilarité qui amplifiait davantage mon anxiété et me confortait dans l'idée qu'elle avait des ennuis.

Je ne l'écoutais plus que d'une oreille, et elle s'en rendait compte tout de suite :

— Tu ne ris pas avec moi ? C'était pas marrant, cette histoire du cochonnet qui est venu au monde avec deux groins mais avec une seule narine ?

Je ne lui répondais pas. Je fixais le toit, puis baissais les yeux. C'était à son tour de s'alarmer à mon sujet puisqu'en quelques secondes, comme par contagion, j'avais le visage couvert d'un voile sombre, convaincu de plus en plus que quelqu'un lui voulait du mal, ou alors que, malgré les pouvoirs de l'épouvantail Massengo, elle ne parvenait plus à rembourser la dette qu'elle avait contractée pour payer la patente au Grand Marché et travailler le cœur léger. À onze ans j'étais déjà au courant que cet impôt avait brisé tant de familles, avec des mères désemparées à qui on avait retiré le droit de vendre leurs arachides pour un petit retard dans le paiement. Elles arrivaient le matin, trouvaient des agents municipaux déterminés devant leur table. La négociation n'était pas un terme que ces cerbères utilisaient. Ils étaient payés pour évincer les commerçantes et les remplacer par certaines qui les avaient soudoyés. Soit les commerçantes payaient en empruntant auprès d'autres, soit elles repartaient chez elles sans savoir comment elles allaient nourrir la marmaille qui les attendait, loin de s'imaginer le tourment qui préoccupait leur maman. Or ma mère n'était pas dans l'une des deux catégories, elle pensait à s'acquitter de la patente dans les délais.

Son air triste venait de loin, et son regard, qui n'était ni dur ni vipérin même lorsqu'elle s'emportait, révélait son obstination devant le nombre de marches qu'elle avait à monter, elle la modeste paysanne originaire de Louboulou, bourgade à la terre rouge, contrée de culture de maïs, de tubercules, d'ignames, de bananes et d'élevage de cochons. Afin d'oublier ce lieu où celui qui allait être son époux prit la poudre d'escampette sans laisser un mot, l'abandonnant à son propre sort quelques mois avant ma naissance, elle choisit de vivre telle une femme de nulle part dans le bourdonnement de la ville Pointe-Noire que je visite ces jours, cité côtière sans mansuétude pour les arrivants aux pieds encrassés par les travaux champêtres. À ses yeux j'étais le prolongement de son existence, la lueur ultime dans la traversée d'un tunnel incommensurable. J'étais le signe indéniable d'une immortalité qu'elle aurait enfin acquise lorsque je me délivrai de son ventre dans un bâtiment délabré de la maternité du district de Mouyondzi en cette nuit à la fois torride et glaciale du 24 février 1966 où la lune peinait à intimider les ténèbres tandis que les coqs s'impatientaient à annoncer l'aube d'un autre jour. Incrédule devant un bonheur à peine altéré par le souvenir de la débâcle de mon géniteur, elle posait avec angoisse ses mains fébriles sur ma poitrine, vérifiait que je respirais encore, que je n'étais pas une apparition qui se déroberait dès qu'elle aurait le dos tourné. Il fallait la convaincre de laisser à l'infirmière le soin de laver le nourrisson qu'elle blottissait dans ses bras. Tout cela parce qu'elle craignait que je suive le chemin de mes deux sœurs aînées mortes en venant au monde sans qu'elle ait pu élucider le mystère de leur départ précoce. Peut-être ces deux anges étaient-ils au courant de la prédiction d'une cousine de notre mère que la jalousie avait poussée à déclarer en public que le destin de maman Pauline était le plus sombre de la lignée. Et cette cousine de mauvaise langue raconta que ma mère n'aurait pas d'enfants, qu'elle mourrait seule dans une cabane, et si par coup de chance elle arrivait à avoir un bébé, ce serait un garçon, mais celui-ci, ingrat, quitterait le pays à l'âge de vingt ans et serait à des milliers de kilomètres d'elle le jour où elle pousserait son dernier soupir. Ce bébé ne lui appartiendrait donc pas, il serait de passage et transiterait dans le premier ventre qu'il trouverait sur son chemin.

Pourtant, balayant d'un revers de main ces prédictions qu'elle rangeait sur le compte d'une cousine stérile et jalouse de la fécondité des autres, ma mère est venue à Pointe-Noire avec un enfant dans les bras et l'épouvantail de grand-mère N'Soko emballé dans des feuilles de palmier. Elle marchait le pagne noué autour des reins, une manière de signifier que même dans le désespoir elle voulait garder la tête haute. Sa route était longue, sinusoïdale, jusqu'au jour où un autre homme apparut en face d'elle. Il allait devenir mon père, le vrai à mes yeux, celui à qui je tendis instinctivement mes petites mains pour enfin sourire lorsque je sentis que je quittais le sol, que je déjouais la loi de la pesanteur, porté par une force physique invincible, inégalable, la sienne, pour atterrir au-dessus de ses épaules, les jambes agrippées à son cou. Je prononçai ce jour-là les sonorités de deux voyelles à la fois identiques et magiques, entrelacées par deux consonnes jumelles : « papa ». C'est cet homme que j'appelais avec déférence « papa Roger » dans mon livre autobiographique *Demain j'aurai vingt ans* et qui repose au cimetière Mont-Kamba dans une tombe proche de celle de ma mère…

Va, vis et deviens

J'appris la mort de ma mère en 1995. Étudiant, j'habitais dans un petit studio du IXe arrondissement de Paris, rue Bleue, depuis plus de six ans. On m'attendait à Pointe-Noire pour les funérailles, et le téléphone sonnait sans relâche. Un cousin me pressait de descendre au pays. Ma tante Dorothée menaçait de se donner la mort si je n'arrivais pas. Mon cousin Kihouari hurlait que ce serait une malédiction si je ne prenais pas le premier avion.

Je ne décrochais plus le téléphone. J'étais comme paralysé par la nouvelle, et ces supplications venues de plusieurs milliers de kilomètres me poussaient encore plus dans mon retranchement. Le monde me semblait étriqué tandis que les heures avaient cessé de s'écouler. Même lorsque je montais les escaliers de notre immeuble je dépassais mon studio, et arrivais au sixième étage alors que je résidais au deuxième.

Je ne fis pas le déplacement.

En réalité je redoutais le face-à-face avec le corps de cette femme que j'avais laissée souriante, pleine de vie. Mon appréhension de la revoir inanimée était nourrie par une attitude qui remontait à l'enfance. En ce temps-là, comme beaucoup d'autres gamins de mon âge, j'avais la phobie des cadavres, surtout qu'on les exposait au milieu de la cour afin que la population vienne leur rendre un dernier hommage. Tout le monde devait donc passer devant le disparu, se courber à quelques millimètres de lui et lui susurrer des mots d'adieu. Une proximité que nous autres enfants redoutions car, dans notre esprit, les morts erraient d'abord quelques semaines sur terre et, en attendant leur départ définitif, ils épouvantaient les vivants, surtout les gamins qui les avaient vus pendant les funérailles. Pourquoi eux ? Parce que les disparus avaient besoin de leur innocence pour survivre au cours de ces quelques jours qui précédaient leur départ.

Nous redoutions aussi le corbillard et sa couleur noire. Lorsqu'il traversait la rue nous fermions les yeux, persuadés que le mort nous lorgnerait à travers la vitre et garderait dans sa mémoire les traits de notre visage. Certains tremblotaient, pissaient de trouille et perdaient la voix durant plusieurs jours. D'autres ne rêvaient plus que du trépassé et déliraient dans leur sommeil perturbé par la présence de personnages avec des cornes, des dents de vampire et une longue queue à l'instar des images répandues qui représentaient le diable. Je ne me rendais d'ailleurs plus dans ces veillées mortuaires du quartier. Voir une personne inerte maquillée à outrance, parfumée avec du *Mananas* – le parfum utilisé dans ces circonstances – et les bras croisés, me mettait dans un état tel que j'y pensais pendant des semaines avec la conviction que je croiserais le fantôme du disparu à la nuit tombée.

Même s'il s'agissait cette fois-ci de ma mère, je ne parvenais pas à dominer mon appréhension et trouvais même que le manque de moyens financiers pour me rendre au pays était un alibi qui m'aidait à me défausser sans entretenir de remords. Je ne supportais plus de me regarder dans la glace, de peur de voir le reflet de mon ingratitude à l'égard de celle qui devait sagement m'attendre dans sa bière, entourée des membres de la famille écœurés par mon absence.

En ce jour de malheur où je tournais en rond dans ma pièce et écrivais les pages du recueil de poèmes *La Légende de l'errance* dédié à la disparue, ses paroles me revenaient en boucle. Je revivais notre dernière rencontre en 1989, à quelques heures de mon départ pour la France où j'allais poursuivre des études supérieures à la faculté de droit de Nantes. Elle était venue me dire au revoir et avait parcouru plus de cinq cents kilomètres jusqu'à Brazzaville où je me trouvais depuis une semaine.

Nous étions assis face à face dans un bar du quartier Moungali, non loin de la case des Anciens Combattants. Le regard sombre, la gorge serrée par l'émotion, elle avait du mal à aligner deux mots de suite. Je me blottis dans ses bras et l'entendis m'appeler « papa », sa façon de m'exprimer son affection. Il y eut un moment de silence, puis je vis ses larmes couler…

Retrouvant sa voix, elle me parla des concerts de notre orchestre national, Les Bantous de la capitale, dans les années 1960, et surtout de l'orchestre Les Trois Frères de Youlou Mabiala, Loko Massengo et Michel Boyibanda.

– C'était la grande époque, fit-elle, nous portions des minijupes et des talons-dame tandis que les hommes mettaient des pantalons pattes d'éléphant et des chaussures Salamander. La ville de Pointe-Noire était réputée pour son ambiance et tout le monde avait du travail. Même les Zaïrois commençaient à arriver alors qu'on ne les trouvait qu'à Brazzaville qu'ils gagnaient depuis Kinshasa en traversant le fleuve Congo…

J'opinai de la tête pendant qu'elle poursuivait :

— Maintenant il n'y a plus d'ambiance, il n'y a plus de musique, les jeunes font plus de bruit qu'ils ne chantent. D'ailleurs je n'écoute plus leur musique, ça me donne des migraines…

Le serveur passa devant nous, le pantalon usé et déchiré. Ma mère le fusilla du regard, la bouche contractée par le dépit :

— Les gens ne s'habillent plus comme il faut ! Regarde ce jeune homme qui nous sert à boire, c'est ça vraiment l'habillement ? Ce pays est par terre, je te dis ! Tu fais bien de partir et de laisser tout ça derrière toi…

Ces digressions ne lui servaient qu'à atténuer la douleur de la séparation et à oublier que nous serions éloignés pour longtemps l'un de l'autre. C'est dans ce bar qu'elle avait l'habitude de me donner rendez-vous quand elle arrivait de Pointe-Noire pour son commerce. J'entamais les premières années d'université et vivais à Brazzaville dans un studio avec mon cousin Gilbert Moukila. Dès qu'elle venait, mon cousin et moi étions soulagés : elle nous remettait un peu d'argent, ce qui nous permettait de ne plus attendre la bourse de l'État qui n'était versée qu'au compte-gouttes et était de toute façon modique pour subvenir à nos besoins. Elle donnait à chacun de nous la même somme, trente mille francs CFA, l'équivalent de notre bourse. Cela nous suffisait pour passer le mois et attendre le suivant avec sérénité.

— Donc tu vas partir en France, c'est ça, hein ? reprit-elle, interrompant mes pensées qui vagabondaient.

— En fait je…

— Tu n'as pas à t'excuser, Adèle avait raison !

– Adèle ?

– C'est ma cousine, à Louboulou, celle qui a une mauvaise langue et qui croyait que je n'aurais pas d'enfant. Je t'ai souvent parlé d'elle… Je sais que tu n'aimes pas prononcer son nom.

– Mais je suis là, moi ! Je suis ton enfant !

– Je sais, mais cette cousine a aussi dit que je n'aurais peut-être qu'un garçon qui partirait loin, très loin de moi, et que je mourrais seule dans une cabane comme quelqu'un qui n'a pas de famille… Je n'ai que toi sur terre, est-ce que tu m'as vraiment aimée, hein ?

– Mais bien sûr que oui !

– Tu dis ça pour me faire plaisir, c'est pas grave ! J'ai plutôt l'impression que tu es heureux de partir chez les Blancs, tu ne sais pas la peine que tu me fais, je ne méritais pas ça…

– Non, je ne suis pas du tout heureux et…

– Qu'est-ce que je vais devenir sans toi ? Tout le monde va se moquer de moi parce qu'on verra bien le vide autour de moi, est-ce que tu vois ce que je veux dire ?

Elle but une gorgée de bière et souffla :

– Pourquoi ils me font ça à moi ?

Comme je ne voyais pas de qui elle parlait cette fois, je risquai :

– Qui ça ?

– La France et le Congo ! Ils ont comploté pour me voler mon fils, ma seule raison de rester encore en vie ! Il y a beaucoup d'enfants dans ce pays, pourquoi ils ne les envoient pas en France à ta place ? Là où tu me vois, je suis déjà morte…

Résignée, elle vida le fond de sa bouteille dans le verre, l'avala d'un trait, rajusta son couvre-chef.

– Mon petit, ne me déçois pas, j'ai tout fait pour être une mère exemplaire…

Elle ouvrit son sac à main et sortit une liasse de billets.

– Voilà, c'est toute la recette de mon commerce de ce mois, tu en auras besoin là-bas… Il me reste quelques billets que je donnerai à ton cousin Gilbert.

Nous étions dans ce bar depuis maintenant près d'une heure. Elle avait ânonné la plupart des noms des disparus de la famille. Tonton Albert qui travaillait à la Société nationale d'électricité. La défunte grand-mère N'Soko qui ne me vit qu'une seule fois. Grand-père Grégoire Moukila qui était le chef du village Louboulou, ce coin perdu de la région de la Bouenza d'où provenait toute notre lignée et qui vécut jusqu'à l'âge de cent douze ans. Sans oublier, bien sûr, mes deux sœurs disparues quelques heures après leur venue au monde.

– Ne les oublie pas, ceux-là qui sont partis. Et le jour où tu ne verras plus ta propre silhouette c'est que toi aussi tu auras cessé d'exister…

Marquant un bref silence, elle compléta :

– … Tu seras désormais dans l'autre monde, comme nos ancêtres qui ne sont plus ici mais qui continuent à nous protéger nuit et jour…

Dehors le jour déclinait. À l'intérieur de l'établissement, je ne percevais plus les traits de ma mère. Il n'y avait plus que ses yeux humides qui illuminaient la pièce. J'entendais la cadence effrénée du battement de son cœur. Le silence élevait un mur que personne ne voulait plus ébranler. Sans rien se dire, nous nous disions presque tout. Elle me transmettait quelque chose, et je ne savais pas quoi. Je me retenais de gâcher cet instant que toute parole n'aurait pu que corrompre.

Elle expira longuement, comme pour prendre du courage, et se leva enfin.

– Ne me déçois surtout pas…

Elle était maintenant devant l'entrée du bar, et moi derrière comme une ombre. Dans son regard je lisais ce qu'elle n'osait pas dire à haute voix : elle m'avait définitivement perdu.

Elle héla un taxi stationné en face de l'établissement. Le véhicule coupa la rue sans donner la priorité à droite et freina devant ma mère qui s'engouffra à l'intérieur.

Devant l'entrée du bar, je restai figé en statue de sel.

Elle baissa la vitre :

– Deviens celui que tu voudras devenir et garde ceci en mémoire : l'eau chaude n'oublie jamais qu'elle a été froide…

Le taxi démarra en trombe. Je le suivis du regard se faufiler dans les embouteillages vers le rond-point Ballon-d'Or.

C'était la dernière fois que je voyais ma mère…

Les mille et une nuits

Oui, j'ai longtemps laissé croire que ma mère était encore en vie. Je n'avais, pour ainsi dire, pas le choix, ayant pris l'habitude de ce genre de mensonges depuis l'école primaire lorsque je ressuscitais mes sœurs aînées dans le dessein d'échapper aux railleries de mes camarades qui, eux, se glorifiaient d'avoir une famille nombreuse et se proposaient de « prêter » des rejetons à ma mère. Obsédée par l'idée de voir un autre enfant sortir de son ventre, elle avait consulté les médecins les plus réputés de la ville et la plupart de ces guérisseurs traditionnels qui prétendaient avoir soigné des femmes dont la stérilité datait au moins d'une vingtaine d'années. Déçue par la médecine des Blancs, bernée par les escrocs des quartiers de Pointe-Noire qui n'avaient pas guéri même une égratignure à l'aide de leur sorcellerie, ma mère s'était résolue à accepter sa condition : n'avoir qu'un seul enfant et se dire qu'il y avait sur terre d'autres femmes qui n'en avaient pas et qui auraient été comblées d'être à sa place. Elle ne pouvait pas pour autant balayer d'un revers de main le fait que la société dans laquelle elle vivait considérait une femme sans enfants comme aussi malheureuse que celle qui n'en avait eu qu'un seul. Dans ce même esprit, un fils unique était un pestiféré. Il était la cause des malheurs de ses parents puisqu'il avait « fermé à clé » le ventre de sa mère pour être seul et jouir de ce privilège ignoble décrié par la communauté. Sans compter qu'on lui attribuait les pouvoirs les plus extraordinaires : il était capable de faire pleuvoir, d'arrêter la pluie, de causer la fièvre à ses ennemis, de rendre les plaies de ces derniers incurables. Tout juste s'il ne pouvait pas influer sur la rotation de la terre.

Donnant du crédit à ces croyances, je cherchais en vain les dons cachés qui m'étaient attribués, jusqu'à ce que j'en arrive à la conclusion qu'un enfant unique ne possédait rien d'autre que la fortune secrète qu'il tirait de l'inquiétude persistante de ses parents de le voir disparaître. Ceux-ci étaient persuadés qu'il appartenait à un autre monde, qu'il s'ennuyait dans le leur et que tous les jouets de la terre ne pourraient pallier cette langueur. Du coup, ces sœurs que je ressuscitais de toutes pièces étaient ma seule carapace, personnages assidus d'un imaginaire dans lequel je me sentais à mon aise et où je pouvais, pour une fois, me comporter en adulte et ne pas laisser aux autres la tâche de prendre soin de moi.

Lorsque j'évoquais ces sœurs devant mes camarades j'exagérais sans doute. J'avançais avec fierté qu'elles étaient grandes, belles et intelligentes. J'ajoutais, sûr de moi, qu'elles portaient des robes aux couleurs d'arc-en-ciel et qu'elles comprenaient la plupart des langues de la terre. Et pour convaincre certains de mes détracteurs, j'insistais qu'elles roulaient dans une Citroën DS décapotable rouge conduite par un boy, qu'elles avaient maintes fois pris l'avion, et qu'elles avaient traversé les mers et les océans. Je savais alors que j'avais marqué des points lorsque les interrogations fusaient :

– Donc toi aussi tu es entré dans cette Citroën DS avec tes sœurs ? questionnait le plus candide de mes camarades dont les yeux luisaient de convoitise.

Je trouvais vite un alibi imbattable :

– Non, je suis trop petit, mais elles ont promis de me laisser entrer dedans quand j'aurai leur taille...

Un autre, plutôt animé par la jalousie, essayait de me contrarier :

– C'est du n'importe quoi ! Depuis quand il faut être grand pour entrer dans une voiture ? J'ai vu des enfants plus petits que nous dans les voitures !

Je ne perdais pas mon calme :

– Est-ce que c'était dans une Citroën DS que tu les avais vus, ces enfants ?

– Euh... non... C'était une Peugeot...

– Ben voilà... Dans la Citroën DS décapotable il faut être plus grand que nous parce que c'est une voiture qui va vite, et c'est dangereux si tu es encore petit...

Puisque personne n'avait vu ces sœurs, mitraillé de questions par une assemblée de mômes de plus en plus curieux, mais dont l'incrédulité croissait au rythme de ma mythomanie, je prétextais qu'elles étaient en Europe, en Amérique, voire en Asie et qu'elles reviendraient en vacances pendant la saison sèche.

– Tu nous les présenteras ? Elles pourront jouer avec nous ? me demandaient en chœur ces camarades.

– Bien sûr, je vous les présenterai, mais elles sont trop grandes pour jouer avec nous...

Égaré dans la nasse de mes propres fictions, je commençais à y croire plus que mes camarades, et j'attendais de pied ferme le retour de mes aînées.

Je guettais les avions, pistais les Citroën DS de la ville et ne tombais pas, à mon grand désespoir, sur les décapotables. Le jour où j'en aperçus une, ma déception fut grande : elle était noire et conduite par un couple de Blancs et il n'y avait pas un seul enfant à l'intérieur...

On pouvait m'entendre monologuer sur le chemin de l'école ou dans le quartier quand ma mère m'envoyait acheter du sel ou du pétrole. À force de passer des heures avec ces sœurs dans mes pensées, je les voyais à présent la nuit ouvrir la porte de notre maison, entrer et s'orienter vers la cuisine où elles fouillaient dans les marmites les restes de la nourriture que ma mère avait préparée. Le jour où je soufflai à ma mère que mes deux sœurs nous avaient rendu visite et n'avaient pas trouvé de quoi manger, elle demeura silencieuse un moment puis, comme si tout cela lui paraissait normal et qu'elle s'étonnait que jusque-là je ne sois pas au courant de ces fréquentations nocturnes, elle me dit :

— Tu n'as pas remarqué que tous les soirs je laisse deux assiettes remplies de nourriture à l'entrée de la porte ?

— Je croyais que c'était pour Miguel...

Elle contint un éclat de rire :

— Non, ce n'est pas pour notre chien, même s'il mange de temps en temps ce que laissent tes sœurs.

— Y en avait une qui portait une robe jaune et l'autre, elle portait une chemise verte et...

— Chut ! Ne le dis à personne, même pas à ton père, sinon elles ne reviendront plus nous voir...

Le lendemain de cet échange, ma mère laissa deux plats de viande de bœuf et de haricots avec deux verres de jus d'orange à côté. J'étais derrière elle pour veiller à ce que la nourriture donnée à mes sœurs soit la même qu'on m'avait servie et que la quantité entre les deux aînées soit équitable afin qu'elles ne se chamaillent pas. Lorsque je remarquais qu'un des plats était plus fourni je déplaçais un morceau de viande d'une assiette à l'autre pour rééquilibrer le partage devant ma mère qui esquissait un sourire de contentement.

Le matin je me ruais vers la porte et constatais que les deux assiettes étaient encore à l'endroit où ma mère les avait déposées. Mes sœurs n'avaient pas touché à leur nourriture. J'apostrophais maman Pauline au moment où elle sortait de la chambre :

– Elles n'ont pas mangé !

– Si, elles ont mangé…

– La nourriture est encore dans les assiettes !

– C'est normal… Tu crois qu'il y a de la nourriture dans ces assiettes, mais en réalité il n'y a rien dedans, elles sont vides.

– Je vois qu'il y a de la nourriture dedans !

Et là, comme si elle souhaitait couper court à cet échange qui aurait pu durer encore longtemps, elle me demandait :

– S'il y a de la nourriture dans ces assiettes, dis-moi donc pourquoi Miguel ne l'a pas mangée ?

– Je sais pas… et…

– Les chiens voient ce que nous autres les êtres humains ne voyons pas. Miguel sait qu'il n'y a plus rien dans les assiettes, tes sœurs se sont bien régalées…

Un soir, heureux de recevoir une pomme que mon père avait rapportée de l'hôtel Victory Palace où il était réceptionniste, je crus bon, en signe de remerciement, de lui dévoiler les secrets de l'apparition de mes sœurs.

— Je te jure que je les ai vues de mes propres yeux comme je te vois maintenant, papa ! En plus, quand elles mangent, nous les humains on ne voit pas qu'elles ont mangé, sauf les chiens qui peuvent voir ça ! Est-ce que tu me crois ?

Il m'écoutait sans broncher, et moi je n'arrêtais plus, je mimais jusqu'à la démarche de mes aînées. À la fin de mon récit très décousu qu'il prit pour les délires d'un bambin un peu loquace, je me sentis coupable d'en avoir trop dit, d'avoir brisé un pacte avec ces deux personnages.

– Je veux pas que tu dises à maman que je t'ai raconté ce secret. Elle va se fâcher contre moi…

Je sentis qu'il en parlerait à ma mère car il ne me fit pas la promesse de se taire. Tout au plus, il remua la tête avant de rejoindre ma mère dans la chambre. J'entendis des éclats de rire et maman Pauline qui disait d'une petite voix :

– Ne ris pas trop fort comme ça, il pourrait nous entendre…

Je venais en réalité de perdre cette ingénuité qui me permettait de naviguer entre la réalité et l'imaginaire, de mêler ces deux mondes sans pour autant être paralysé par le mur du doute qui relevait plutôt du domaine des adultes. Était-ce parce que je n'avais pas retenu ma langue que je n'eus plus le bonheur de discuter avec ces deux personnages ? J'en souffris profondément.

Les jours suivants, lorsque je me levais au cœur de la nuit pour épier l'arrivée de mes sœurs, je me retrouvais devant Miguel. Les poils hérissés, l'animal trépidait et orientait son museau vers la rue, une façon de me signifier que les deux personnages venaient juste de s'en aller, parce qu'ils ne souhaitaient plus me parler depuis que j'avais dévoilé à papa Roger leur présence nocturne. Je m'en voulais et ne regardais plus mon père de la même manière. Je crois que j'appris à partir de ce moment à cultiver le silence, à me dire que toute parole qui sortirait de ma bouche ne ferait qu'aggraver les choses. Je donnais de moins en moins des nouvelles de mes sœurs à mes camarades et ceux-ci ne me demandaient plus rien. Tout était fini, ils le savaient, et il était temps que je redevienne un gamin comme un autre.

Assis devant la porte de notre maison je considérais Miguel dont le regard humide était aussi triste que le mien. Lorsqu'il remuait la queue, je ne saisissais plus ce qu'il souhaitait me transmettre. Sans doute s'appliquait-il à me consoler. Pouvait-il m'aider à retrouver cette jubilation que me procurait l'idée que j'appartenais aussi à l'autre monde, celui qu'il percevait grâce à son flair de canidé, à son instinct que Dieu lui avait transmis à défaut du don de la Parole comme pour les humains ?

Pour me racheter aux yeux de mes sœurs je mangeais en cachette la nourriture que ma mère continuait à leur déposer chaque soir près de la porte et me disais que ce qui entrait dans mon ventre entrait aussi dans le leur. Le matin, stupéfaite devant ces assiettes vides, maman Pauline s'en prenait à Miguel pendant que ce dernier me jetait un regard rouge de reproches. Mais une petite caresse le calmait aussitôt car lui seul était capable de juger le gouffre de mon chagrin...

La gloire de mon père

Mon père était petit de taille, deux têtes de moins que ma mère. C'était presque risible de les voir marcher ensemble l'un devant, l'autre derrière, ou lorsqu'ils s'embrassaient et que lui se tenait sur la pointe des pieds. Je le prenais pour un géant, aussi géant que les personnages que j'admirais dans les bandes dessinées, et mon rêve secret était d'égaler un jour sa taille, persuadé qu'il était de toute façon impossible de le dépasser parce qu'il avait touché la limite absolue de la croissance humaine. Je ne fus conscient qu'il n'était pas grand que lorsque j'atteignis sa hauteur alors que je venais d'entrer au collège des Trois-Glorieuses. Je pouvais maintenant le regarder dans les yeux sans lever la tête et attendre qu'il se penche vers moi. J'ai cessé à cette période de me moquer des nains et autres individus frappés d'un défaut de croissance. Ricaner d'eux aurait signifié offenser mon père. Grâce à la taille de papa Roger j'acceptais ainsi le fait que le monde était composé de tout : de petites personnes, de grandes, de grosses, de maigres.

Il était souvent habillé d'un costume marron clair même en pleine canicule, sans doute à cause de sa fonction de réceptionniste à l'hôtel Victory Palace qui exigeait qu'il soit endimanché de la sorte. Il ne quittait pas son sac à main qu'il portait d'ordinaire sous l'aisselle, ce qui lui donnait un air de contrôleur de chemin de fer, ceux-là que nous craignions sur le chemin du collège lorsque, sans titre de transport, nous empruntions le petit « train ouvrier ». Ces agents vous sortaient de la rame au milieu du parcours après vous avoir asséné deux ou trois baffes en guise de correction. Le train ouvrier était normalement réservé aux cheminots ou à ceux qui travaillaient au port maritime. Pour accroître sa rentabilité, le Chemin de fer Congo-Océan (CFCO) l'avait ouvert au public, en particulier aux collégiens des Trois-Glorieuses et aux élèves du lycée Karl-Marx, à la condition d'être munis de leur titre de transport. Voilà qu'ils étaient devenus des fraudeurs chevronnés, voyageant au-dessus du train au péril de leur vie. Il n'était donc pas anodin, comme dans *Peur sur la ville* projeté alors au cinéma Rex, de voir un contrôleur à la poursuite d'un élève, d'abord entre les voitures, puis au-dessus de la rame…

Papa Roger marchait d'un pas alerte, l'œil rivé sur sa montre – ce qui faisait dire à ma mère qu'il était l'homme le plus ponctuel de la terre. Chez lui, tout était réglé à la minute près. Il quittait la maison à six heures du matin, prenait un bus sur l'avenue de l'Indépendance en face du Studio-Photo Vicky et arrivait au centre-ville une demi-heure plus tard.

À sept heures pile il était à la réception du Victory Palace, bien droit comme un I, et saluait les premiers clients qui s'orientaient vers le restaurant de l'hôtel pour le petit déjeuner. Depuis la réception il balayait du regard l'entrée de l'établissement jusqu'à la rue goudronnée qui passait devant. Dès qu'il apercevait un nouveau client sortir d'un véhicule, il agitait une clochette. Deux employés vêtus d'uniformes blancs

VICTORY
PALACE

CARTE PROFESSIONNELLE

VICTORY PALACE
B. P. 124
POINTE NOIRE

/SEHA/VP

Noms K I M A N G O U
Prénoms Roger
Né (e) le Vers 1935
A Ntébélé
Profession RECEPTIONNAIRE
C.N.I. n° 20620316
Assuré social (C.N.P.S n°

A Pointe Noire, le 1er Mars 1987

Signature du Titulaire

Le Directeur
HADI-ALI
VICTORY PALACE
B. P. 124
POINTE NOIRE

accouraient vers l'entrée, s'emparaient des bagages
et les déposaient à la réception. Ils les montaient ensuite
dans les étages après l'enregistrement et l'attribution
de la chambre par mon père. Celui-ci éprouvait un

malin plaisir à nous détailler cette procédure à table le soir. Il avait du mal à masquer une sorte de gloire qui, aux yeux de ma mère, n'était que de la fanfaronnade. S'interrompant de manger, il exultait :

– Je suis l'employé le plus important du Victory Palace ! C'est moi, rien que moi qui décide dans quelle chambre je dois mettre un client ! Quand c'est quelqu'un qui a une tête de con – et il y en a souvent parmi tous ces vacanciers européens –, je ne lui propose pas la belle chambre qui donne sur le jardin. Ça c'est pour les clients que j'aime et qui reviennent chaque année. Parfois je peux donner une mauvaise chambre au départ à un que je ne connais pas, mais si pendant son séjour il se montre très gentil avec moi, je le déplace. En général, le jour de son départ il s'en souvient et me laisse un gros pourboire !

Il rentrait du travail à cinq heures du soir avec quelques hebdomadaires de la presse française, restait à table après le dîner pour les lire et réagissait à haute voix :

– Quoi ! C'est pas possible ! Non, je ne peux pas croire ça ! Mais pourquoi ils ont fait ça ? Ils sont fous, ces Français !

Le week-end il était vêtu d'un pyjama blanc à rayures rouges, avec des chaussons marron trop amples pour ses pieds. C'était, nous rappelait-il, un cadeau de sa patronne, Mme Ginette.

– Même s'ils étaient trop petits pour moi, je les porterais parce qu'un cadeau est un cadeau ! Ces chaussons s'appellent des « charentaises », et je crois que je suis le seul à les avoir dans cette ville ! J'en connais qui, s'ils les avaient, les porteraient pour aller parader en ville, tellement ils sont magnifiques ! Mais c'est pour rester à la maison et lire les journaux. C'est comme ça qu'ils font en Europe !

Il s'asseyait devant la porte dès le matin, reprenait la lecture de ses journaux empilés près de lui, une pierre posée dessus de peur qu'ils ne s'envolent avec le vent. Il oubliait de boire le café que ma mère avait déposé juste à côté, plutôt concentré à tourner les pages, à revenir sur celles qu'il avait lues quelques minutes avant et à se saisir d'un stylo rouge pour griffonner dessus. Puis, tout d'un coup, il interrompait sa lecture, jetait un œil vers moi et s'apercevait que sous le manguier où je me trouvais ma bouche était ouverte d'admiration.

– Tu veux lire avec moi ? Viens donc !

Je me ruais aussitôt vers lui, ayant attendu cet instant avec impatience. Il me lisait à haute voix ce qu'il appelait « les nouvelles du monde ». J'appris très vite les noms les plus compliqués des nations étrangères et de ceux qui les présidaient. Pour moi l'Europe, l'Amérique, l'Asie ou l'Océanie n'étaient plus des terres lointaines. Je constatai que le stylo rouge de mon père lui servait en fait à surligner les mots les plus difficiles de la langue française.

– Ça c'est des mots que je vérifierai lundi dans le dictionnaire qu'on a au Victory Palace… Je dois bien les apprendre pour les utiliser le moment venu devant les clients.

Dénichant deux autres mots qu'il surlignait avec agacement, je l'entendais maugréer :

– Je ne comprends pas pourquoi les gens, au lieu d'être simples, écrivent des mots que personne ne comprend ! Par exemple *antédiluvien* ou *apocryphe*, ça veut dire quoi, hein ?

Plus qu'indigné, il tournait la page, tombait sur les informations du monde. Son visage se fermait tandis qu'il grommelait :

– Franchement, ils sont fous, ces Français ! Pourquoi

ils ne parlent pas de ce qui se passe dans notre pays, hein ? Il y a eu un coup d'État chez nous, et il n'y a aucune ligne ! On a quand même abattu le président Marien Ngouabi la semaine dernière ! Ils sont de mèche, ces Français, c'est pas possible de ne pas en parler ! Les Français sont derrière ce coup !

Comme je restais muet, il enchaînait :

– Eh bien, moi Roger, je vais te le dire, mon fils ! S'ils ne parlent pas de nous c'est parce que ce pays est trop petit ! Et comme il est trop petit, eh bien les gens l'oublient et pensent qu'il n'y a qu'ailleurs qu'il y a les moustiques, la pauvreté, la famine et les guerres civiles ! C'est faux ! Dans ce pays il y a tous les maux, il suffit d'ouvrir les yeux ! Comme d'habitude, dans une mer on ne s'intéresse qu'aux requins et aux baleines parce que ça fait beaucoup plus d'agitation. Pas le moindre souci pour les fretins qui ne servent que de nourriture à ces gros poissons !

S'apercevant que j'avais de plus en plus de fascination pour le lecteur qu'était papa Roger, ma mère manifestait une petite jalousie. Dès que mon père tournait les talons, elle s'emparait du journal, se retirait dans un coin de la parcelle, s'adossait contre le tronc d'un manguier et me prévenait :

– Ne me dérange pas, je lis !

Elle ressemblait à *La Liseuse* de Jean-Honoré Fragonard. Comment s'était-elle arrangée pour me cacher aussi longtemps qu'elle savait lire ? Elle était concentrée, vérifiait du coin de l'œil que, comme mon père, elle parvenait à capter mon attention.

Un autre jour où elle refit le même geste, je m'avançai vers elle et constatai qu'elle tenait le journal à l'envers. Je le lui fis remarquer avec un sourire moqueur. Sans perdre son flegme devant ce qu'elle prit pour une offense, elle me toisa du regard, me renvoya mon sourire moqueur avant de me répondre :

– Tu crois que moi Pauline Kengué, fille de Grégoire Moukila et d'Henriette N'Soko, je suis folle au point de lire un journal à l'envers ? Je l'ai fait exprès pour voir ta réaction ! Et ne crois pas que dans cette maison il n'y a que ton père et toi qui savez lire et écrire !

*

De l'extérieur, rien n'a changé, en dehors des climatiseurs incrustés au-dessus des fenêtres et des antennes paraboliques sur le toit. Situé au centre-ville, non loin de la Côte sauvage et de la gare ferroviaire, le Victory Palace a été créé à la fin des années 1940, comptant ainsi parmi les hôtels les plus anciens de Pointe-Noire. Le premier propriétaire M. Trouillet le donna en gérance à Ginette Broichot en 1965, et celle-ci en fit l'acquisition en 1975. Depuis son édification l'immeuble observe de loin les nouvelles constructions alentour et préserve avec une certaine insolence sa structure de l'époque, en béton, avec une vaste façade blanche à l'angle de la rue Bouvanzi et de l'avenue Bolobo.

Je n'ose pas entrer dans le bâtiment, comme si je redoutais que l'ombre de mon père qui est peut-être tapie quelque part m'en veuille de retourner sur les traces de son passé, le mien aussi par ricochet. Je repense à lui lorsqu'il se vantait d'être le doyen de cet hôtel, et aussi le plus loyal du personnel. Il prenait pour preuves les faveurs que lui accordait Mme Ginette qui n'avait jamais élevé la voix contre lui alors que le reste des employés vivait dans la crainte de l'ire de la patronne française. Maman Pauline croyait que papa Roger touchait deux fois le salaire en un seul mois alors qu'il était sans cesse en train de demander un acompte ou de miser sur les pourboires de la clientèle. Il avait réussi à faire embaucher mon oncle maternel Jean-Pierre Matété comme garçon de chambre. Pendant l'été, Marius, un de mes « demi-frères », et moi-même y travaillions à la plonge et au nettoyage des chambres. Il arrivait qu'en prenant ses vacances en France Mme Ginette lui confie la direction de l'hôtel. Pendant cette période il devenait khalife à la place du khalife et dirigeait l'établissement d'une main de fer. Il engueulait pour un rien celui qui avait mal enfilé son uniforme et hurlait sur le jardinier qui tardait à arroser les plantes. Papa Roger ne lésinait pas sur les mots, allant jusqu'à traiter certains d'incultes, d'autres de bâtards, et à noter leur nom dans un carnet dans le but de rendre compte auprès de Mme Ginette le moment venu. Les employés n'avaient plus qu'un seul vœu secret : que la patronne revienne le plus vite possible parce que, selon eux, les engueulades d'un Nègre étaient plus insupportables que celles d'un Blanc.

Et puis, comment oublier la fois où nous le vîmes tout triste, ne racontant plus ces anecdotes qu'il récoltait sur son lieu de travail et dont ma mère et moi étions friands ? En fait, le père de Mme Ginette était venu de France et séjournait au Victory Palace pour une durée indéterminée. Mon père était persuadé que sa patronne avait enfin trouvé un moyen déguisé de coller au personnel un inspecteur impitoyable, et il ne supportait pas cela. C'était un vieil homme à l'œil vif qui s'asseyait du matin au soir dans le hall et contrôlait les allées et venues. Papa Roger clamait que son périmètre s'était amenuisé, que l'hôtel n'était plus un endroit convivial à cause de celui qu'il qualifiait d'« intrus ». Personne n'avait plus le droit de rapporter même une pomme chez lui. Les journaux que mon père avait coutume de mettre dans son sac après que les Blancs les avaient lus devaient rester à l'hôtel, quitte à être jetés un jour. Le père de la patronne n'hésitait pas à se mettre derrière un client afin d'entendre comment papa Roger allait se débrouiller dans la conversation.

— Tous les jours il est là, il nous regarde, il dit tout à la patronne qui vient ensuite nous blâmer tels des enfants ! Est-ce que c'est normal ? demandait-il à ma mère.

Celle-ci restait muette comme une carpe, ne comprenant sans doute pas ce qui agaçait mon père. Puis, obligée de dire quelque chose, elle se bornait à bredouiller :

— Bof, c'est quand même l'hôtel de sa fille… Donc c'est aussi son hôtel !

— Et nous alors, on est quoi ? C'est lui qui m'a embauché ou sa fille ? De toute façon ça ne va pas durer longtemps, on va s'occuper de lui la semaine prochaine…

Le plan inspiré par mon père avec la complicité de plusieurs employés fut mis à exécution un lundi matin après de vives discussions de la veille où il avait fallu convaincre certains couards qui jugeaient qu'ils ne pouvaient pas aller aussi loin sans encourir un licenciement sans indemnités. Or mon père tenait plus que tout à son territoire. Il était prêt à accepter d'être congédié plutôt que de subir chaque matin le regard dénonciateur de l'« intrus ».

Ils ramenèrent discrètement au Victory Palace une herbe que nous nommions le *kundia*. Elle possédait des piquants invisibles à l'œil nu. Observés au microscope, ceux-ci ressemblaient à un bataillon d'aiguilles rangées en épis qui se hérissaient, puis se détachaient au contact d'un corps étranger. Les paysans l'utilisaient tout autour de leurs champs pour éloigner les animaux et les voleurs de fruits et légumes. Lorsque par mégarde elle effleurait votre peau, la seule solution était de résister le plus longtemps possible aux démangeaisons car plus vous vous grattiez, plus les « dents du *kundia* » pénétraient à l'intérieur de votre peau, et le supplice pouvait durer au moins une heure.

L'un des acolytes de mon père, les mains gantées, répandit les dents du *kundia* sur le fauteuil de l'« intrus ». À partir de cet instant le rôle de papa Roger fut de s'assurer que personne d'autre que l'intrus ne viendrait poser son derrière sur le siège.

Le vieil homme descendit de sa chambre en bermuda vers dix heures du matin. Il fit d'abord un tour dans le restaurant d'où on l'apercevait en train d'examiner chaque table, de redresser une chaise qu'il jugeait mal placée ou de donner des consignes aux serveurs. Ce n'est qu'à l'issue de ce tour du propriétaire devenu pour lui une tradition et pour les employés un calvaire qu'il prit enfin son petit déjeuner.

Une demi-heure plus tard il fonça vers son fauteuil du hall, s'y vautra, les jambes bien étendues devant lui, les mains posées sur le ventre et les yeux fermés. Cette position de détente ne dura que quelques secondes.

L'intrus bondit tel un fauve de son siège et échoua par terre.

– Y a des fourmis rouges ici ! Y a des fourmis rouges dans mon fauteuil !

Il se grattait les jambes sans relâche, puis les mains, puis le visage. Il hurla qu'on lui apporte de l'eau à boire. Le personnel s'activa autour de lui jusqu'à ce que Mme Ginette, attirée par le vacarme, surgisse des escaliers, le regard horrifié :

– Qu'on l'emmène vite à l'hôpital ! C'est une infection tropicale !

La sirène de l'ambulance retentissait déjà dehors pendant que la victime du *kundia* était aidée par trois employés qui, ce jour-là, portaient tous pour la première fois des gants.

Plus jamais on ne vit l'« intrus » s'éterniser dans le hall. Papa Roger avait reconquis son territoire, et cela se ressentait à la maison parce qu'il avait recommencé à nous raconter ses anecdotes du Victory Palace…

Je m'éloigne vite de cet hôtel car de l'intérieur quelqu'un me lorgne depuis un moment. Peut-être se dit-il que je suis un potentiel client qui hésite entre cet établissement et son concurrent qui n'est qu'à moins de deux cents mètres, l'Atlantic Palace.

Mme Ginette n'est plus la propriétaire, elle a revendu l'hôtel aux Congolais en 1985 et s'est retirée en France. C'est maintenant une nonagénaire dont j'ai croisé une fois la nièce à Montpellier et avec qui nous sommes restés en contact.

La femme d'à côté

Ai-je vraiment connu ce père qui disparut en 2005, dix ans après maman Pauline ? Il m'était à la fois proche et étranger. Proche parce que je n'avais jamais senti ses yeux loin de moi, comme s'il voulait accompagner chaque pas que je posais, soucieux que je ne trébuche pas, que je ne tombe pas et que j'emprunte plus tard le chemin qu'il aurait élagué pour mon bien.

Il me paraissait étranger, non pas parce qu'il n'était pas mon père biologique, mais parce que j'ignorais tout de lui, n'ayant pas rencontré un seul membre de ce que j'aurais pu considérer comme « ma famille paternelle », même si, à la décharge de mon père, sa relation avec ma mère n'avait pas été scellée à la mairie. C'était plutôt une union tacite, matérialisée par le fait qu'un homme et une femme vivaient sous un même toit avec un enfant, dans une société où ce que pensait le groupe était plus fort que toute signature de document avec un serment devant les autorités publiques. Il y a eu d'ailleurs des cas où, même ayant accompli l'acte de mariage civil, quelques vieux sages grognaient sous leur barbe :

– Bof, ça c'est pour faire comme les Blancs, ça ne compte pas à nos yeux ces papiers, ce qui importe c'est la parole des ancêtres, et eux ils n'ont pas besoin de ce papier que les gens déchirent de toute façon après trois ou quatre mois de mariage. Est-ce qu'on pourrait déchirer la parole des ancêtres ?

Non, mes parents n'étaient pas officiellement mariés. N'était-ce pas aussi le cas avec maman Martine, l'autre femme de mon père, avec qui il avait eu huit enfants ? Cette femme était ce qu'on appelait alors la « rivale » de ma mère, « rivale » dans le langage des Congolais signifiant « coépouse ». En soi, même le terme de « coépouse » était inadapté puisque aucune de mes deux mères ne s'était mariée à papa Roger devant le maire de Pointe-Noire. Maman Martine pouvait, à la rigueur, revendiquer plus de droits que ma mère : elle avait eu des enfants avec papa Roger, son statut d'« épouse » avait été légitimé par un mariage coutumier alors qu'avec ma mère, tout s'était réglé par un petit pot que mon père avait offert au frère aîné de ma mère, mon oncle maternel, tonton Albert.

Entre mes « deux mères » je percevais l'écart de génération. Il y avait deux époques dont l'une pouvait être considérée comme celle du règne de l'image en noir et blanc, et l'autre, celle de l'expérimentation de la couleur. Plus d'une vingtaine d'années les séparaient, et cela suffisait pour que les deux femmes ne regardent pas dans la même direction et n'aient pas les mêmes intérêts. De ce point de vue, papa Roger avait agi à l'instar de bon nombre de polygames de notre pays : il avait jeté son dévolu sur une femme plus jeune, très jeune même – ma mère –, afin de combler le déclin de la beauté de la première ou peut-être se prémunir contre ce qu'il devait considérer comme la monotonie d'une vie en couple qui durait depuis plus de trois lustres. Mais ces raisons étaient insuffisantes, beaucoup

de ces polygames ne se sentaient rassurés, forts et
« masculins » que grâce au nombre de femmes qu'ils
avaient épousées. Il fallait certes avoir une situation
aisée pour se permettre de jongler ainsi entre deux
foyers et d'entretenir une marmaille si rapprochée en
âge qu'on oubliait parfois les noms de certains enfants,
quand on ne les confondait pas avec ceux des autres.
Pour subsister, la plupart du temps les maris envoyaient
leurs épouses travailler tandis qu'eux-mêmes restaient à
la maison ou vadrouillaient dans les bars du quartier où
il n'était pas exclu qu'ils croisent une autre demoiselle
qui viendrait grossir les rangs de leur harem. Papa
Roger, même polygame, n'était pas de cette engeance
puisque c'était plutôt maman Martine qui restait à la
maison. Elle était plus traditionnelle, retirée dans la
cuisine, souvent taciturne et effacée, ne s'exprimant
que dans la langue de sa tribu, le bembé, et non en
munukutuba, la langue de Pointe-Noire, malgré sa
longue résidence dans cette ville. Elle incarnait de ce
fait la « femme du village », celle qui avait la réputation
de tout attendre de son homme. Lorsqu'il y avait des
disputes conjugales, elle se tournait vers l'assemblée
de ces vieux à barbichette grise qui n'espéraient que
cette situation pour s'offrir un moment où ils viendraient en bande se saouler au vin de palme et régler
accessoirement le différend.

Maman Pauline, elle, était plus « à la mode », trop
même au goût de certains car elle sortait quand elle le
voulait et pouvait entrer dans un bar rempli d'hommes
sans se courber dans le but de manifester une révérence
que ceux-ci estimaient légitime. Elle le faisait par
provocation, et si on le lui rappelait, elle répliquait :

– S'ils sont si respectables qu'ils le pensent, qu'est-
ce qu'ils foutent alors dans un bar pendant que leurs

femmes sont à la maison ? C'est pour chercher d'autres femmes ?

Elle tenait à préserver son indépendance grâce à son commerce d'arachides et de bananes au Grand Marché et surtout à ce qu'elle prenait pour la plus grande réussite de son existence : l'acquisition d'un terrain à Pointe-Noire, au quartier Voungou. Cette autonomie était mal vécue par mon père qui se sentait, selon son propre terme, « inutile », et jugeait alors qu'une femme n'avait pas à « porter le pantalon » dans un couple, à acquérir des biens en son nom propre, des prérogatives réservées au mari auquel on reconnaissait par ailleurs le droit d'épouser autant de femmes qu'il le souhaitait.

Bien plus tard – je devais déjà être au lycée –, papa Roger commença à fréquenter une autre femme, celle qu'il prévoyait de prendre comme troisième « rivale ». Lui l'homme le plus ponctuel de la terre rentrait maintenant très tard chez ma mère ou chez maman Martine et fournissait des prétextes qui, à la longue, se contredisaient et suscitaient la méfiance de ses deux femmes « officielles ». À maman Martine il avançait qu'il était un peu en retard parce qu'il avait bifurqué chez ma mère. Le lendemain, alors qu'il était censé dormir chez nous, il arguait qu'il était retenu chez maman Martine pour une affaire urgente dont il ne donnait aucun détail.

Il ne pouvait plus jouer longtemps à ce jeu qui ne tint que quelques semaines. C'est maman Martine qui eut vent de l'affaire par une de ses amies et alerta ma mère :

– Je crois que Roger voit Célestine… Il ne m'a plus touchée depuis des semaines, et quand on est au lit c'est comme si nous étions des étrangers. Je le connais, une femme rôde autour de lui…

– Non ! Célestine ? Il n'a pas trouvé une autre que celle-là ?

D'une petite voix, maman Martine, déjà sur le point de céder, murmura :

– Moi encore, c'est pas grave, je ne fais plus le poids, ma jeunesse m'a tourné le dos depuis un moment. Mais qu'est-ce que cette Célestine a de plus que toi, hein ? Tu es très belle, tu es jeune, tu travailles, et on ne s'est jamais chamaillés. Ah Roger ! Il ne changera pas ! De toute façon moi je lui ai dit de ne plus me toucher tant qu'il fréquentera une autre femme à côté !

Ma mère aurait mis sa main au feu pour innocenter mon père. Elle était persuadée qu'il s'agissait des ragots que propageaient certains jaloux du quartier. Mais les semaines suivantes, les alibis de mon père devenant de moins en moins probants, ma mère le poussa au pied du mur pour qu'il dise la vérité.

Papa Roger haussa le ton :

– D'ailleurs, pourquoi Martine et toi vous me surveillez comme ça ? Je ne peux plus dormir tranquille chez elle, je ne peux plus respirer chez toi, vous voulez que j'aille dormir où, hein ?

– Va dormir chez Célestine ! En tout cas je ne dors plus dans le même lit que toi ! Deux femmes ne te suffisent plus ? Tu ne fais que ronfler lorsque tu dors ici ! Et moi qu'est-ce que je dois faire ? Prendre un amant, hein ?

– Bon, si c'est ainsi, je sors prendre l'air !

– C'est ça, va la retrouver !

– Ça suffit comme ça, Pauline ! Tous les jours c'est la même chose dans cette maison ! Est-ce que c'est parce que c'est ta maison ? Si c'était la mienne tu oserais me parler sur ce ton insolent ? J'en ai marre à la fin, et si ça continue, je rentre chez moi !

Dans la maison de ma mère j'avais le sentiment que mon père se sentait parfois un peu « locataire » puisque c'est elle qui, outre l'acquisition du terrain, avait fait élever notre demeure en planches que papa Roger regagnait un jour sur deux, en alternance avec l'autre maison, la sienne, un quatre pièces dans lequel résidaient maman Martine et mes huit « demi-frères ».

L'affaire de la troisième femme avait fini par polluer l'atmosphère dans les deux foyers. Chez nous mes parents ne se parlaient plus de la même manière. Une petite étincelle suffisait pour allumer le feu et les pousser à se chamailler sans se soucier que je sois derrière, ne comprenant pas alors pourquoi ils se disputaient au sujet de ce que je prenais pour de simples futilités de gamins dans une cour de récréation.

La situation s'envenimant au jour le jour, ma mère se concerta avec maman Martine, et les deux décidèrent que c'était à nous autres les enfants d'aller rendre une petite « visite de courtoisie » à cette potentielle coépouse. Nous avions même reçu la permission de bien la corriger par tous les moyens nécessaires.

J'étais donc dans le petit groupe de cette expédition punitive avec six de mes demi-frères. Nous nous sommes rendus un après-midi dans le quartier de cette femme dont nous ne connaissions que le prénom que nous avaient donné nos deux mères : Célestine. Devant son domicile, nous sommes tombés sur une dame d'un certain âge à qui le plus grand de nous tous, Yaya Gaston, a demandé :

— Excusez-nous, madame, nous cherchons une jeune femme qui s'appelle Célestine, c'est votre fille, il faut qu'on lui parle...

La dame nous répondit sèchement :

– Qu'est-ce que vous lui voulez ?

Je sentis la colère secouer le corps de Yaya Gaston et son poing se fermer.

– Est-ce que c'est ton problème, vieille peau ? Nous sommes venus dire à ta fille qui ne sait même pas s'occuper de ses petites culottes de minette d'arrêter d'embêter notre père sinon on va lui casser la gueule ! Elle n'a pas honte de voler l'argent d'un monsieur qui a deux familles, hein ?

– Eh bien, allez-y, cassez-moi la gueule !

– On n'en a rien à foutre d'une vieille ! C'est à Célestine qu'on veut parler ! Allez, laissez-nous passer, on doit fouiller cette baraque, on sait qu'elle se cache à l'intérieur !

Elle éclata de rire :

– Ici il n'y a qu'une Célestine, et c'est moi ! Qu'est-ce que vous attendez pour me frapper, hein ?

Yaya Gaston eut un mouvement de recul, se retourna vers nous puis considéra la femme pendant quelques secondes. Des cheveux gris. De grosses lunettes de myope. Des pagnes décatis et raccommodés. Elle devait être plus âgée que maman Martine et aurait pu être la grand-mère de maman Pauline.

– C'est… c'est vous la femme en question ? bégaya notre aîné, incrédule, le poing toujours fermé comme s'il s'apprêtait malgré tout à la frapper.

– Vous voulez que je vous montre ma carte d'identité ou quoi ? Essayez donc de me frapper et vous serez maudits jusqu'à la fin des temps !

Yaya Gaston desserra son poing, se retourna de nouveau vers nous :

– Je ne peux pas. Je ne peux pas… Elle est très vieille. Qui veut la frapper à ma place ?

– Frappez-moi, j'ai dit ! hurla la femme, devenue

soudain autoritaire, certaine que personne d'entre nous n'oserait lever la main sur une vieille.

Comme aucun dans le groupe ne bougeait et que nous avions tous les yeux baissés, Yaya Gaston se contenta d'intimider la vieille :

— On est venus vous mettre en garde ! Si vous tournez encore autour de notre père ça va mal finir pour vous ! On s'en fout que vous soyez comme vous êtes !

— Je suis comment, moi ? Vieille, hein ? Je pue, c'est ça ? Est-ce que c'est moi qui dis à votre père de venir ici ? Arrangez vos affaires entre vous et dites à vos mamans de satisfaire leur homme parce que moi, à mon époque, je tournais si bien les reins que mon défunt mari oubliait d'aller au travail pendant un mois ! Dites aussi à vos mamans de bien préparer la nourriture, parce que quand votre père vient ici c'est comme s'il n'avait pas mangé depuis des années ! Et maintenant si vous ne sortez pas de ma parcelle, je vais vous montrer ma nudité. Comme ça vous verrez de vos propres yeux par où passe votre père quand il n'est pas chez vos mamans ! J'ai plein de poils tout blancs sur le pubis, vous voulez les voir, hein ?

Yaya Gaston était déjà hors de la parcelle, les oreilles bouchées pour ne pas entendre ces paroles obscènes. Nous l'avons vite rejoint et sommes repartis la queue entre les jambes au moment où la femme remontait son pagne à la hauteur de ses reins afin de nous exhiber son derrière.

— Ne vous retournez pas, ça porte malédiction, nous lança Yaya Gaston.

Toujours est-il que papa Roger, mis au courant de notre visite par Célestine, la fréquenta de moins en moins, d'autant que nous nous planquions maintenant dans les environs dans le but de le surprendre en train d'entrer dans la parcelle de celle que nous prenions pour une sorcière qui avait envoûté notre père.

Au bout d'un mois, l'« affaire » de la troisième femme fut classée, papa Roger redevint cet homme qui rentrait à la maison à l'heure et qui s'asseyait dans un coin pour lire les hebdomadaires venus d'Europe et s'exclamer contre la folie des Français qui oubliaient de parler de notre pays parce que celui-ci était tout petit…

La mort aux trousses

Si j'ai le sentiment de ne pas avoir bien connu papa Roger, c'est qu'il ne me disait rien de ses propres parents. J'ignorais s'ils étaient vivants ou partis dans l'autre monde. De même, je n'avais pas mis les pieds à Ndounga, son village natal. Cela ne me dérangeait pas, d'autant que je cultivais une haine viscérale contre tout ce qui pouvait se rattacher à une branche paternelle depuis que mon propre géniteur avait décampé au moment où ma mère aurait eu besoin de lui. En papa Roger je voyais le père, le grand-père, cette souche paternelle parfaite qui bravait les vents, donnait des fruits à toute saison. J'avais ainsi cessé de rechercher à tout prix qui étaient « mes » ascendants paternels.

C'est grâce à papa Roger que mon enfance a été recouverte d'une fragrance de pomme verte. Un fruit qu'il me rapportait chaque semaine de l'hôtel Victory Palace. Manger une pomme était un privilège dans la ville. C'était, pour nous, un des fruits les plus exotiques venus des régions au climat froid. En la croquant je sentais pousser en moi des ailes qui me portaient loin. Je humais d'abord le fruit les yeux fermés, avant de le croquer goulûment comme si je craignais que quelqu'un vienne me demander un petit bout et gâche du coup le plaisir que j'aurais de broyer même les pépins puisque personne ne m'avait appris comment manger une pomme. Papa Roger était là, en face de moi, le sourire aux lèvres. Il savait que s'il souhaitait obtenir quoi que ce soit de moi il lui suffisait de m'offrir une pomme. Je devenais tout d'un coup le garçon le plus bavard de la terre, moi qui étais pourtant très réservé de nature. Ma mère avait compris les ravages que pouvait causer une pomme sur mon comportement. Elle piqua une fois une colère dont je fis les frais et qui trouble jusqu'à ce jour cette odeur rafraîchissante de mon enfance :

— Tu as encore raconté n'importe quoi à ton père après avoir mangé une pomme ! Je vais finir par croire qu'il y a de l'alcool dans ce fruit et te l'interdire !

— J'ai rien fait, moi !

— C'est ça ! Et pourquoi tu lui as dit que j'étais sortie cet après-midi avec quelqu'un ? Ne compte pas sur moi pour te préparer la nourriture ce soir ! Ça te servira de leçon !

J'avais en effet été très loquace ce jour-là lorsque j'avais chuchoté à mon père qu'un type, mince et grand de taille, était venu devant notre parcelle, qu'il avait discuté avec ma mère, et que les deux étaient ensuite allés prendre un pot dans un bar du quartier. Cela avait suffi pour que mon père démarre au quart de tour et fonce vers ma mère :

— Je m'en doutais ! Ce type c'était Marcel, c'est ça ? Je croyais que ton histoire avec cet imbécile était terminée ! Qu'est-ce que je suis idiot !

Mon père refusa de s'installer à table ce jour-là et se réfugia dans la chambre. Marcel était un homme que maman Pauline avait connu presque au même moment que mon père, mais elle avait dû faire son choix parce que l'autre était un coureur de jupons convaincu que

66

les femmes tombaient à ses pieds pour son physique de séducteur. Rien, d'après ma mère, ne s'était passé entre eux. Elle prit une poignée de terre dans sa main droite, la répandit dans l'air, ce qui signifiait, dans nos traditions, qu'elle me jurait avoir dit la vérité, rien que la vérité, toute la vérité, et on ne pouvait pas jouer avec cet usage que notre tribu respectait depuis la nuit des temps. Ceux qui juraient de la sorte alors qu'ils avaient menti souffraient de céphalées le lendemain et restaient parfois alités pendant plusieurs jours. Ils vomissaient d'abord, puis avaient la peau toute sèche. Les jours suivants je ne distinguai point ces symptômes sur ma mère. Je me résolus donc à me fier à sa version, sans recueillir celle de papa Roger alors qu'au fond de moi subsistait le doute.

Papa Roger était certain que Marcel rôdait encore autour de ma mère et qu'il y avait eu quelque chose entre eux, quelque chose qui perdurait peut-être, car l'homme réapparaissait tous les deux ou trois ans. J'avais huit ou neuf ans lorsqu'il y eut une bagarre mémorable entre les deux hommes dans la rue de Louboulou, au quartier Rex. C'était le fief de tonton Albert, fonctionnaire à la Société nationale d'électricité et qui avait été le premier, dans ma branche maternelle, à émigrer du village Louboulou à Pointe-Noire. C'était à lui qu'on devait l'arrivée de tous dans la capitale, à l'exception de ma mère qui y débarqua d'elle-même pour effacer le souvenir de mon géniteur. Tonton Albert s'y était d'abord installé, puis avait fait venir son petit frère, tonton René. Sont arrivés par la suite ses petites sœurs – les aînées de ma mère –, tante Dorothée et tante Sabine. Ma mère, elle, ramena le dernier de leur filiation, tonton Mompéro. Et comme mon grand-père maternel Grégoire Moukila était polygame – douze

femmes avec plus d'une cinquantaine d'enfants –, tonton Albert les faisait venir dans la rue de Louboulou
au fur et à mesure que sa situation professionnelle se
précisait. C'est ainsi qu'arriva un autre de mes oncles
qui m'était très proche, Jean-Pierre Matété, né de même
père que ma mère. Du fait de la concentration de notre
famille dans cette rue, tonton Albert obtint des autorités
qu'on la rebaptise rue de Louboulou, rappelant ainsi ce
coin de la région de la Bouenza, dans le sud du pays,
dont notre grand-père Moukila Grégoire fut le chef
dès le milieu des années 1900. Cette rue était donc un
peu notre village. La plupart des maisons avaient été
construites par les originaires de notre région même
si, par la suite, certains avaient vendu leur logement
et laissé peu à peu s'y installer d'autres individus que
nous ne connaissions pas. Mon oncle travaillant dans
l'électricité, tout le monde bénéficiait alors gratuitement
du courant. Il suffisait de tirer le fil d'un foyer à un
autre pour passer de la lampe-tempête à l'ampoule, du
fer à charbon au fer électrique.

La mairie donna une suite favorable à la demande
de tonton Albert, non sans que celui-ci ait soudoyé
quelques fonctionnaires qui vinrent d'ailleurs sans ver-
gogne trinquer lors de l'inauguration du nouveau nom
de l'artère. Chaque semaine les membres de la famille
passaient saluer tonton Albert, et on savait que quand
il se retirait dans sa chambre, il en ressortirait avec
quelques billets qu'il remettrait au visiteur. En gros,
et on ne le disait pas tout haut, on passait par chez
tonton Albert dans l'espoir de repartir avec quelques
milliers de francs CFA. Ceux qui arrivaient pendant
sa sieste patientaient dans la cour, feignant de discuter
avec Gilbert et Bienvenüe, les jumeaux de l'oncle, mes
cousins avec qui j'ai passé une bonne partie de mon

enfance. Ces jumeaux n'étaient pas dupes et sentaient que leur père était la banque familiale. Parfois, pour ne pas être dérangé dans son repos, tonton Albert déposait sur la table un paquet de billets et laissait à son épouse, Ma Ngudi, le soin de les distribuer aux différents visiteurs.

Ma mère aussi transitait par la rue de Loubou-lou. Non pas pour ramasser des billets, mais pour en remettre à Ma Ngudi parce que je vivais parfois avec mon oncle. C'était maman Pauline qui l'avait souhaité pour « l'intérêt du neveu d'Albert », Ma Ngudi avait la réputation de bien dresser les gamins qui n'avaient pas d'appétit – ce qui était quelquefois mon cas lorsque je ne choisissais que les morceaux de viande et écartais le foufou ou le manioc.

Un soir où ma mère venait me récupérer chez tonton Albert, ce Marcel, bête noire de mon père, circulait par hasard par là. Par pure coïncidence papa Roger, qui revenait de son travail, avait, lui aussi, décidé de venir remercier mon oncle et son épouse pour mon séjour chez eux, et sans doute aussi pour laisser une petite enveloppe à mes cousins Bienvenüe et Gilbert comme il le faisait souvent.

Ma mère et moi étions encore en train de dire au revoir à tonton Albert lorsque nous avons entendu un tohu-bohu venant de dehors. Il ne pouvait s'agir que d'une bagarre car les gamins du quartier hurlaient tous :

– *Ali boma ye ! Ali boma ye ! Ali boma ye !*

C'était le fameux cri que poussaient les Zaïrois au stade du 20 Mai lors du combat légendaire qui opposait Mohamed Ali à George Foreman. Dans les deux Congos on avait pris l'habitude de le scander à chaque rixe.

Nous nous sommes tous rués à l'extérieur de la parcelle et sommes tombés sur une vraie empoignade qui avait amené tout le quartier Rex dans la rue de Lou-boulou. Marcel et mon père étaient par terre, couverts de poussière, et c'est papa Roger qui était au-dessus malgré sa petite taille devant ce type que je pris pour un colosse tant il me paraissait mesurer presque deux mètres et dépasser d'une bonne tête les habitations alen-tour. Chaque fois que Marcel essayait de se redresser pour surprendre mon père, les gens du quartier, dont certains membres de notre famille, le tiraient par un pied ou par le bout de la chemise, et l'homme perdait de nouveau l'équilibre au profit de papa Roger. Venir se battre là c'était signer son acte de décès au milieu d'un groupe qui était soudé comme les doigts d'une main.

Ma mère hurla de toutes ses forces :

– Roger ! Laisse ce type, il n'a rien fait !

Mon père ne lâchait plus le cou de Marcel.

– Je vais le tuer ! Je vais le tuer !

Porté par tout un groupe excité, il bondissait, prenait une posture de karatéka qu'il avait vue dans le film *Les Démolisseurs*, assenait un coup de tête, un coup de pied, un coup de genou, puis un autre jusqu'à ce que Marcel, le visage ensanglanté, réussisse à se détacher et à prendre la poudre d'escampette. Le quartier était derrière le fugitif. Chacun tenait un bout de bois ou une pierre entre les mains.

– Ils vont le tuer ! s'époumona ma mère.

– C'est bien comme ça ! répliqua une voix dans la foule.

On ne voyait plus d'où partaient les jets de pierres et qui balançait les bouts de bois que Marcel esqui-vait de justesse. Il avait de longues jambes, courait comme s'il avait la mort aux trousses. En quelques foulées, il avait déjà traversé l'avenue de l'Indépen-dance et s'était volatilisé dans les rues tortueuses du

quartier Trois-Cents, le repaire des prostituées venues du Zaïre. Les poursuivants savaient qu'il ne fallait pas aller le rechercher jusque dans ce territoire où une bagarre se transformait vite en émeute générale.

De retour chez nous, une vive dispute opposa mes parents. Ma mère expliquait à mon père que c'était une coïncidence que Marcel se retrouve dans la rue de Louboulou. Mon père n'y croyait pas et était persuadé que c'était maman Pauline qui avait fixé rendez-vous à cet homme et que tonton Albert était de mèche, de même que toute la tribu bembé de la rue de Louboulou.

– Et pourquoi alors ces mêmes gens de ma tribu que tu accuses ont pris parti pour toi ?

Mon père ne répondit pas à cette question. Preuve peut-être qu'il s'était rendu compte que ma famille maternelle était derrière lui et qu'il s'était laissé emporter par la suspicion et la colère…

Mademoiselle ma mère

La photo est en noir et blanc, un peu grignotée en bas, à droite. Elle remonte à la fin des années 1970 et a été prise un après-midi dans le quartier Joli-Soir. J'étais venu rejoindre mes parents dans ce bar où nous sommes attablés. Les deux ont un verre levé à la hauteur de leurs lèvres, le mien est posé sur la table. Il est rempli de bière parce que ma mère y tenait pour qu'on ne s'imagine pas que je n'étais là que pour la photo. Il fallait donner l'impression que je buvais comme eux depuis un moment. D'ailleurs j'entends encore ma mère s'improviser en metteur en scène tatillon devant le photographe un peu surpris :

– Attendez, monsieur, on n'est pas prêts ! Chassez d'abord les mouches qui tournoient autour de la table ! C'est comme ça que vous gaspillez les photos des gens ! C'est moi qui vous dirai quand il faudra appuyer sur le bouton de votre appareil !

Elle a balayé du regard la salle, cherchant un moyen de retarder le moment de la prise. Quelques personnes entraient pour s'installer dans le fond. Elle a bondi sur l'occasion :

– C'est quoi ça encore, hein ? Vous avez vu ça ? On ne peut plus prendre une photo dans ce pays depuis que le président Marien Ngouabi est mort ! Dites aux gens de ne plus entrer pour le moment !

Puis, s'adressant particulièrement à nous :

– Et vous deux, faites comme si le photographe n'était pas là ! Surtout toi, Roger, quand on te photographie tu es toujours crispé comme un escargot qui ne sait pas où aller ! Est-ce que tu penses que c'est bien ça, hein ? Et toi, mon petit, arrange-toi bien ! Tiens-toi droit comme un pionnier vaillant, un enfant fier d'être au milieu de son papa et de sa maman !

Malgré ces précautions qui agaçaient de plus en plus le photographe, elle n'a pas fait attention à un quatrième verre qui trônait sur la table, à ma gauche, devant papa Roger. Celui-ci avait proposé un pot au photographe qui l'avait bu d'un trait, sans dire merci, pressé de passer aux choses sérieuses. Au lieu d'écarter son verre du champ, il l'avait oublié là. Il semblait débordé par son activité qui l'obligeait, pour que son affaire soit rentable, à circuler dans les bars de la ville et convaincre les clients d'accepter de se faire photographier. Il notait votre adresse dans un vieux calepin, revenait le lendemain à votre domicile avec l'image. Il fallait au préalable lui avoir versé un acompte. Il s'arrangeait pour développer plusieurs exemplaires de la même image, conscient que si elle était un chef-d'œuvre chacun voudrait la sienne. On le connaissait maintenant dans la plupart des quartiers de Pointe-Noire. Et il fanfaronnait ce jour-là devant mes parents :

– Je suis le seul dans cette ville à posséder un appareil Hasselblad SWC ! C'est ça que même les Américains ont utilisé quand ils sont allés dans l'espace ! Est-ce que les autres photographes de cette ville l'ont ? Non ! Je suis le seul ! Oui, le seul ! Et c'est pour ça que mon surnom c'est « Monsieur Hasselblad SWC » !

Qui aurait pu vérifier ses allégations ? De toute façon personne ne comprenait son charabia, ce qu'on voyait c'était un appareil photo sur lequel il appuierait, et le flash se déclencherait comme pour n'importe quel appareil. Mais ma mère coupa court au verbiage du photographe :

– Arrête ton baratin et dis-nous combien coûte la photo !

Monsieur Hasselblad SWC prit une position ridicule avec son appareil et, le temps d'un cillement, le flash nous éblouit…

Je considère autrement cette photo aujourd'hui. Peut-être parce que je la regarde dans la ville où elle a été prise. En Europe ou en Amérique, j'ai le sentiment qu'elle ne se dévoile pas. Je l'examine de plus près. Ma mère domine sur l'image. On ne voit presque qu'elle et son couvre-chef en pagne. Elle semble plus à son aise que mon père et moi qui nous disputons le petit espace qu'elle nous a laissé. Elle voulait être celle sur qui le regard tomberait dès qu'on poserait les yeux sur la photo. Nous n'étions donc là que pour mieux appuyer sa présence puisque la force d'un personnage principal dépend beaucoup de l'implication de ceux qui jouent les rôles secondaires. C'est sans doute l'effet qu'elle souhaitait donner, avec cette posture inclinée vers la droite comme si mon père et moi n'existions plus ou que nous dérangions ce qu'elle prenait pour sa minute de gloire et qu'elle voulait laisser à la postérité.

Elle a le regard orienté vers l'objectif avec un petit sourire qui montre qu'elle a trouvé la pose idéale. Elle ne se soucie pas de ma bouche ouverte, de mon expression impassible, avec ces grands yeux de celui qui se demande l'intérêt de cette photographie. D'ordinaire, elle m'aurait rappelé :

– Arrange-toi, tu ne vois pas qu'on nous prend en photo ?

Et elle m'aurait dit de fermer ma bouche puisqu'elle me reprochait cette mine qu'elle jugeait ignoble et à mon désavantage.

Ma chemise est largement ouverte – avais-je encore perdu « idiotement » mes boutons, pour reprendre la formule de ma mère ? Je reconnais que fermer les boutons était la dernière chose à laquelle je pensais. J'avais souvent la chemise de travers, avec des boutons que je faisais passer dans des trous sans suivre leur alignement.

Je note certains détails que je n'avais pas remarqués jusqu'alors. Par exemple l'épaule droite de ma mère qui semble m'écraser pendant que mon père essaie de nous maintenir en équilibre. C'est pour cela qu'il a la tête collée à la mienne. Je vois aussi, sur l'épaule gauche de ma mère, les doigts de mon père. Je devine que c'est son bras gauche qui nous retient et que s'il l'avait enlevé, nous n'aurions pas réussi la pose. Enfin, les traces de culs de bouteilles sur la table indiquent que les serveurs passaient rarement un coup de chiffon dessus…

La paysanne aux pieds nus

Je l'appelais « grand-mère Hélène », elle était en réalité ma tante et habitait dans la rue de Louboulou, juste derrière le domicile de tonton Albert. Elle marchait pieds nus, s'arrêtait devant chaque parcelle pour offrir des légumes, des fruits, du manioc, du foufou ou une dame-jeanne de vin de palme. Elle était de ceux dont on croirait qu'ils sont nés déjà vieux, édentés, avec leurs cheveux blancs et une démarche hésitante de gastéropode égaré, tant il était impossible de s'imaginer que grand-mère Hélène aussi avait été jeune. On ne pouvait déterminer son âge, elle-même l'ignorait, ayant vécu sans pièce d'identité et sans acte de naissance. En son temps, pour obtenir ces documents, il fallait se rendre auprès des autorités coloniales qui mesuraient la taille, regardaient la dentition et affectaient une année de naissance approximative avec la fameuse mention : *Né(e) vers...* Ni son mari, Vieux Joseph, ni elle ne firent le déplacement, d'autant que plusieurs chefs coutumiers qui ne manquaient pas d'imagination dans le combat contre l'administration coloniale propageaient des rumeurs selon lesquelles les Blancs avaient un plan secret : emporter en Europe l'âme de ceux qui accepteraient de se faire établir des documents d'état civil. Ces individus redeviendraient des esclaves et subiraient donc le « voyage » funeste de la traite négrière qui les emporterait jusqu'en Amérique, en passant par l'Europe, pour être vendus ensuite aux enchères et travailler du matin au soir dans les plantations de leurs maîtres impitoyables. D'après ces dignitaires, c'était ainsi que les Blancs avaient instauré l'esclavage, conscients qu'ils n'auraient pas eu la force physique de se mesurer aux Noirs et les capturer. La peur régna alors et rappelait celle qui saisissait les villageois lors de l'arrivée des premiers appareils photo dans le pays. À cette époque tous les arguments, pour la plupart farfelus, furent avancés dans le but de dissuader la population de se faire photographier. L'Europe était montrée du doigt, elle dont la réputation était de ne subsister que par le détournement de l'âme et de l'esprit des autres. Et on parlait de la bravoure des anciens qui, même photographiés contre leur gré, n'apparaissaient pas sur l'image parce qu'ils étaient plus mystiques que l'homme blanc et avaient pris la précaution de recouvrir leur âme d'une enveloppe antiflash.

De toute façon, demander leur âge à grand-mère Hélène et à son époux était sous-entendre qu'ils étaient trop vieux et qu'ils devaient s'en aller vers ce pays lointain où, comme le pensent les Bembés, le jour ne se lève jamais. Vieux Joseph paraissait si solide qu'on le créditait sans hésiter de quelques années de moins que sa femme. Peu disert, il se mettait au soleil – astre selon lui garant de la durée sur terre –, et il regardait, songeur, le temps s'égrener, assis devant la porte de la maison. Son œil gauche s'étant éteint, recouvert par une grosse tumeur livide sur toute la surface de la pupille, il ne voyait plus qu'à travers l'autre, ne ratait cependant aucun détail des allées et venues dans la cour. Cet œil malade était craint par ceux qui radotaient que le vieil homme s'en servait dans les ténèbres pour détecter les combines des sorciers du quartier et les déjouer avant qu'il soit trop tard.

Leur première fille, Mâ Germaine, semblait aussi vieille qu'eux. La rumeur courait que le couple détenait le secret de la longévité qu'il transmettait à sa descendance. Ce dont grand-mère Hélène avait conscience lorsqu'elle balbutiait d'un air très agacé :

– Nous sommes déjà vieux, l'âge nous a oubliés, et nous aussi nous l'avons oublié. C'est ça le secret de notre longévité…

Si Vieux Joseph était plus qu'effacé devant grand-mère Hélène, celle-ci menait une existence pour le moins affairée, sans cesse en train de s'assurer que personne autour d'elle ne portait un masque de désespoir, et si c'était le cas, elle allait vers lui, le lui ôtait et bredouillait quelques paroles réconfortantes afin de lui donner une raison de croire que le lendemain tout irait pour le mieux. On lui avait affublé le sobriquet de « Mère Teresa », puisque celle qui avait plus d'une dizaine d'enfants sous son toit se préoccupait du destin des autres avant même celui de sa propre progéniture. Les mauvaises langues ne tardèrent pas à insinuer que chaque fois qu'on recevait un présent de grand-mère Hélène, elle vous prenait une année de votre vie pour rallonger celle de son mari et la sienne, voire celle de ses enfants. D'où l'attitude grossière de ceux qui rejetaient les largesses de la vieille, non sans la taxer de sorcière.

En réalité, depuis qu'elle était arrivée du village Louboulou, elle ne s'était pas faite à l'idée qu'elle avait changé d'existence et que les mœurs citadines étaient opposées à celles du village. Ici toute gentillesse était suspecte. Là-bas, elle était un devoir qui éloignait de la communauté les ingrats, les égoïstes et les individualistes.

Dans son esprit Pointe-Noire, et en particulier la rue de Louboulou, était son village qu'on avait juste déplacé, et elle avait par conséquent l'obligation, elle la paysanne propriétaire de vastes plantations dans son coin natal, de partager ce qu'elle possédait avec les habitants, quels qu'ils soient, et c'est ainsi qu'elle avait été éduquée.

Le respect qu'on lui vouait avait fait d'elle une des patriarches de la tribu, voire l'œil protecteur de notre famille et des habitants de la rue de Louboulou. Elle préparait la nourriture dans une grosse marmite en aluminium, se pointait dans la rue pour harponner n'importe quel gamin qui passait et l'asseoir devant une assiette bien garnie et fumante. Cela faisait l'affaire des gloutons, et elle tombait aussi bien sur des profiteurs que sur des escrocs qui, eux, avaient compris qu'il suffisait d'errer devant chez elle aux heures de repas pour se garantir un bon plat. C'est sans doute pour cela que plusieurs adultes défilaient dans sa parcelle et en ressortaient repus tels des boas constrictors ayant avalé une antilope. Par contre, nous autres gamins évitions de trop traînailler dans les parages car nous prenions sa bonté pour une punition déguisée, surtout que lorsqu'on avait fini de manger, grand-mère Hélène applaudissait, puis esquissait un large sourire :

– C'est bien, mes petits ! C'est bien ! Il faut maintenant roter pour me prouver que c'était bon ! Allez, on rote ! Vite !

C'était une autre de ses habitudes qu'elle avait ramenées du village : elle devait entendre le rot de son invité, autrement son visage s'assombrissait d'un coup, et elle se sentait coupable d'avoir mal cuisiné. Pourtant, même après qu'on avait roté – ce qui la rendait radieuse –, elle remplissait de nouveau l'assiette et se mettait droit devant vous pour s'assurer que vous la termineriez et pousseriez un autre rot, plus fort cette fois-ci. Et c'est elle qui désignait alors les morceaux de viande à dévorer en premier, allant jusqu'à vous intimer l'ordre de beaucoup boire afin que la nourriture « descende bien » et que vous ayez encore de la place dans votre estomac pour en manger davantage. Pendant que la grosse marmite se vidait à force de servir n'importe qui n'importe quand, elle en remettait déjà une autre sur le feu et citait de mémoire les noms de ceux qui n'avaient pas mangé et qu'elle attendait avec impatience, une grosse cuiller en bois entre les mains :

– Je sais que les jumeaux d'Albert, Gilbert et Bienvenüe, ne sont pas passés, de même que Jean-Pierre Matété et Mompéro qui devraient normalement venir aujourd'hui. Il faut aussi que je prépare une assiette pour Sabine et Dorothée et que je n'oublie surtout pas Kengué, Kimangou, Mizélé, Ndomba, Ndongui, Miyalou, Kihouari, Milébé, Matété, Nkouaka, Marie, Véronique, Poupy, Firmin, Abeille, Jean de Dieu et René…

Tournant en rond dans sa cuisine ennuagée par la fumée, on l'entendait se demander :

– J'ai peur de ne pas avoir assez de manioc ! Y a qui encore que j'ai oublié ?

Nous avions cru un moment, lorsque nous n'avions pas d'appétit, avoir trouvé le moyen d'éviter de tomber sur elle. Il suffisait de passer par la rue de derrière, parallèle à la rue de Louboulou. Cela avait marché pendant un temps, et grand-mère Hélène était plus qu'affectée par ces multiples désertions de gamins :

– Ils sont où, tous ces enfants ? Est-ce que c'est leurs parents qui les empêchent de venir manger chez moi ? Ça fait deux jours que je garde leur nourriture, j'en ai marre de la réchauffer !

C'était affligeant de l'apercevoir se rendre dans une décharge publique trois jours plus tard et déverser la nourriture avariée les larmes aux yeux tandis que des chiens errants et faméliques s'excitaient autour. Elle se maudissait d'avoir une descendance aussi ingrate que la nôtre, mais reprenait le lendemain ce qu'elle savait faire de mieux dans ce monde : cuisiner pour les autres.

Dieudonné Ngoulou, un gourmand qui lui était resté fidèle et que nous maltraitions parce qu'il était le plus faible et le plus couard de nous tous, vendit la mèche à la vieille. Quelle ne fut donc pas notre surprise de constater qu'aux heures de repas grand-mère Hélène faisait le guet au croisement de la rue de Louboulou et de l'avenue de l'Indépendance, se tapissant derrière un manguier avec toujours entre ses mains sa légendaire cuiller en bois. De sa cache, telle une féline blessée et revancharde, elle bondissait, attrapait le petit malin par la chemise et le ramenait dans sa cuisine en le traînant par terre :

– Tu voulais me rouler dans la farine de manioc, c'est ça ? Tu croyais que tu étais plus intelligent que moi, hein ? Est-ce que tu sais quand je suis née, moi ? Tu vas me manger trois assiettes pleines aujourd'hui parce que je ne t'ai pas vu pendant trois jours ! Il faut que tu te rattrapes ! Allez, on se dépêche, je n'ai pas de temps à perdre !

Sa crainte des Blancs tournait en une obsession mêlée à une déférence absolue. Elle était d'ailleurs certaine que quelques jours avant sa disparition une femme blanche viendrait l'embrasser sur le front et lui ouvrirait les portes de l'autre monde afin de lui permettre d'achever là-haut l'œuvre qu'elle avait entamée ici-bas.

– C'est les Blancs qui emmènent les gens dans le pays où le soleil ne se lève jamais, et moi je sais que c'est une femme blanche qui viendra me prendre ici pour m'emmener là-haut...

Elle répétait cela à chaque veillée mortuaire du quartier. Pour beaucoup c'étaient les divagations d'un individu du troisième âge dont les facultés mentales s'amenuisaient au fur et à mesure qu'approchait la date fatidique du départ. Mais grand-mère Hélène prenait cela au sérieux.

Quelques mois avant la maladie qui allait la paralyser, elle entreprit de ranger ses affaires à la surprise générale :

— Mon corps me lâche, je suis de plus en plus malade. Je n'arrive plus à préparer ma nourriture comme il faut. La femme blanche n'est plus loin, je la vois dans mes rêves. J'ai hâte qu'elle vienne me délivrer...

Elle acheta une grosse malle en fer et une valise et les disposa dans un coin de la salle à manger, au-dessus d'un vieux meuble. Ses affaires étaient là, et on l'entendait bredouiller :

— Dans le pays où le soleil ne se lève jamais, je sais que je vais cuisiner pour les autres, il ne faut donc pas que j'oublie ma cuiller... Les marmites, je m'en fous, il y en a là-haut, mais cette cuiller en bois j'y tiens parce que c'est ça qui donne du goût à ma nourriture...

Il arrivait qu'elle se lève la nuit et aille vérifier que tout était en ordre, qu'elle n'avait rien oublié. Tranquillisée après une comptabilité laborieuse qui ressemblait à une litanie de ses dernières volontés, elle retournait dans son lit, s'étalait, croisait les bras et fermait enfin les yeux. Pendant ce temps, la maladie grignotait son corps chétif et contracté par les affres des douleurs.

Tout le monde sut que le moment fatal pointait à l'horizon car depuis quelques mois elle n'avait plus cuisiné pour personne et était clouée sur le matelas de la salle à manger, les yeux rivés sur ses bagages et une photo de la Vierge Marie. Lorsqu'on lui parlait de mon arrivée imminente, elle demeurait sans expression, laissant penser à ses visiteurs qu'elle ignorait qui j'étais...

*

Devant l'entrée de la parcelle de grand-mère Hélène, dominant son émotion de me revoir après tant d'années, Mâ Germaine me met en garde :

— Elle ne te reconnaîtra plus. Elle ne sait même plus que je suis sa fille, et chaque fois que je vais vers elle, elle est épouvantée comme si j'étais un esprit maléfique ! Elle ne reconnaît plus personne depuis qu'elle est alitée. Et toi, ça fait vingt-trois ans qu'elle ne t'a pas vu...

J'avance tout de même à l'intérieur de la pièce et tombe sur les affaires de la vieille rangées dans un coin. La Vierge Marie est triste, accrochée au mur. Il y a une odeur d'écurie, et personne ne songe à ouvrir les fenêtres pour aérer.

Je me rapproche de la moustiquaire et aperçois une forme humaine à l'intérieur qui remue par à-coups. C'est elle, c'est la vieille. Recouverte de draps blancs à la propreté douteuse, elle ne bouge plus, captive d'une maladie dont on ignore l'origine et qui l'oblige à rester étendue, à faire ses besoins sur ce matelas posé par terre. Toute la famille se relaie pour lui donner des soins. Elle regarde les visiteurs à distance et geint :

— Je souffre, je souffre beaucoup...

Grand-mère Hélène est devenue une loque humaine dont le seul lien avec notre monde est l'air qu'elle respire encore. Recroquevillée dans cette moustiquaire blanche qui lui donne l'air d'être dans une bière, c'est presque un cadavre qui attend son jour d'enterrement...

– Elle ne te reconnaîtra plus, insiste Mâ Germaine.

Je ne tiens pas compte de cet avertissement et écarte la moustiquaire pour mieux la voir.

Elle est là, repliée dans la position fœtale, le visage serein. Elle a senti ma présence et ouvre les yeux pendant que je me penche vers elle.

D'un geste vif, elle agrippe ma main :

– C'est toi qui es là ?

Sans savoir si elle m'a vraiment reconnu, je fais oui de la tête. Et là, à ma grande stupéfaction je l'entends balbutier :

– Tu as vu, mon petit, je suis fière de moi parce que la nourriture que je te donnais pendant ton enfance t'a fait grandir, et tu mesures presque deux mètres... Mais bon, tout ça, c'est loin, très loin, et moi je suis en train de mourir comme ta mère Pauline Kengué, comme ton père Kimangou Roger, comme tes tantes Bouanga Sabine et Dorothée Louhounou, comme tes oncles Albert Moukila et René Mabanckou, sauf que moi j'aurai au moins eu la chance de t'avoir vu avant d'aller les rejoindre...

– Tu ne mourras pas, grand-mère...

– Bof, tu as vu ce que je suis devenue ? Un cadavre ! Est-ce que c'est comme ça que tu m'avais laissée ? Je fais de la peine aux gens qui m'entourent... Si j'avais encore de la force, je me serais donné la mort, mais je ne peux plus bouger sans le secours de quelqu'un, et personne ne veut m'aider à quitter cette terre, même pas mon mari...

Elle se met à trembloter, le visage apeuré :

– Je la vois ! Je la vois ! Aide-moi à la chasser !

– Chasser quoi, grand-mère ?

– L'ombre qui est derrière toi !

– Ce n'est pas une ombre, grand-mère, c'est quelqu'un qui est venu avec moi et...

– C'est une ombre, crois-moi, et j'en vois de plus en plus ces derniers temps ! Je les chasse grâce à la Vierge Marie. S'il te plaît, aide-moi à chasser cette ombre qui me regarde... Rends-moi ce service.

– Grand-mère, c'est ma compagne qui est là, on est venus ensemble de France il y a quelques jours et...

– C'est une Noire ou une Blanche ?

– Une Blanche.

– Tu en es certain ?

– Oui.

– Alors je suis sauvée ! Je l'attendais depuis des années, je peux maintenant partir, elle est venue m'affranchir...

Le château de ma mère

Lors de la réunion familiale organisée pour fêter mon arrivée, j'ai remarqué deux chaises vides en face de moi et deux verres remplis de vin de palme posés devant chacune d'elles. Tout le monde avait une explication, sauf moi. Pour en avoir le cœur net j'ai demandé si on attendait encore deux personnes car nous étions déjà plus d'une trentaine dans cette parcelle laissée par ma mère. Une cousine m'a chuchoté dans l'oreille, d'un air embarrassé :

– C'est ta mère et ton père qui sont assis sur ces deux chaises. Toi tu crois qu'elles sont vides, mais elles sont occupées…

Et elle a précisé qu'il manquait d'autres membres de la famille qui reposent au cimetière Mont-Kamba, la nécropole des petites gens située à l'autre bout de la ville…

J'ai fait le tour de « la parcelle de maman Pauline », comme ils disent ici. Il y a une toute petite cabane retirée dans un coin de la concession. Presque une tache dans ce voisinage de bâtisses en dur avec de l'électricité. Chacun dans le quartier Voungou s'est soucié de clôturer sa propriété. Sauf la nôtre dans laquelle la cabane semble s'être résolument détournée d'une mutation qui rappelle encore ce régime communiste où l'on expliquait que tout appartenait « au peuple, rien que pour le peuple ». Il était alors inutile de marquer les contours de son terrain puisque personne, en principe, n'était propriétaire, sauf l'État qui pouvait exercer ses prérogatives et exproprier les habitants pour « l'intérêt collectif ».

Avec l'ouverture de la vente des terres par les chefs coutumiers, il était prudent de construire « quelque chose » sur le terrain acquis afin d'éviter que les escrocs de la ville le vendent avec leurs faux titres de propriété. On appelait ce type d'habitations précaires « maisons en attendant », leurs propriétaires espérant édifier dans le futur un habitat confortable. En général ils mouraient sans avoir élevé la maison de leurs rêves, faute de moyens financiers.

Ma mère acquit sa parcelle en février 1979. Je venais d'avoir treize ans et fréquentais le collège des Trois-Glorieuses. Je me rappelle encore la présence du vendeur, un chef de terres de l'ethnie vili qui discutait avec ma mère et essayait d'augmenter les enchères sous prétexte qu'il avait d'autres propositions plus élevées. Ma mère, en commerçante chevronnée, feignit de ne plus s'intéresser à l'acquisition et signifia au vendeur qu'il pouvait traiter avec le plus offrant puisqu'elle avait déniché un autre terrain, mieux placé, au centre-ville.

Une semaine après le vendeur revint nous visiter dans le studio que nous louions au quartier Fonds Tié-Tié. Son discours avait changé, de même que ses prétentions exorbitantes. Où étaient passés ses clients qui se bousculaient au portillon ? Il n'en souffla plus un seul mot. Dès qu'il accepta de boire la bière que ma mère lui proposa, je compris qu'il avait capitulé et était tombé dans le piège habilement tendu par maman

Pauline dont je discernai le sourire de victoire. Elle rejetait même le prix de vente moyen pratiqué dans le voisinage.

– Je n'achète pas cette parcelle pour moi, c'est pour mon fils, l'entendis-je arguer.

J'ignore les autres arguments qu'elle avança, mais je la vis sortir des billets de banque froissés, les déplier l'un après l'autre et les compter à haute voix sous l'œil avide du vendeur. Le commerçant fourra l'argent dans un sac en plastique qu'il sortit de la poche arrière de son pantalon. Ce qui me convainquit qu'il était certain que la vente allait se conclure ce jour-là puisqu'il avait prévu cet emballage.

Ils se fixèrent un rendez-vous le lendemain pour finaliser la vente devant les autorités.

Nous étions devenus propriétaires, et mon père ne le sut que plus tard, le jour de l'emménagement…

Nous avions planté du maïs sur la terre que nous venions d'acquérir. Mais cela ne suffisait pas, il fallait bien indiquer aux escrocs que nous étions les propriétaires. Tonton Mompéro, le petit frère de ma mère, a alors entamé la construction d'une maison en planches. J'étais derrière lui et, de temps à autre, il me demandait de lui passer la scie, l'équerre, les pointes ou les lattes. J'étais fier de me sentir utile, de croire que moi aussi, avec mes petites mains, je contribuais à la construction de notre habitation. Pendant les travaux, ma mère préparait dans un coin la nourriture que nous allions manger au cours de la pause de l'après-midi. Elle avait embauché deux maçons zaïrois car elle souhaitait avoir un sol en dur, même si la maison devait être en planches. En moins d'une semaine, l'habitation avait pris forme au milieu du champ de maïs. Nous avions quitté le logement que nous louions au quartier Fonds

Tié-Tié et avions emménagé un matin, malgré l'orage qui menaçait de faire tomber une pluie battante. Notre maison comptait deux chambres minuscules et un petit salon. J'occupais une pièce, et mes parents l'autre. Tonton Mompéro, lui, dormait au salon dans un lit qu'il avait fabriqué lui-même. Et lorsque sont arrivés du village deux membres de la famille – le cousin de ma mère, Grand Poupy, et la nièce de papa Roger, Ya Nsoni –, j'ai laissé la chambre à cette dernière, et je dormais au salon avec mon oncle dans le même lit. Grand Poupy déployait chaque soir une natte par terre, et il était arrivé que certains soirs je dorme avec lui.

En remettant les pieds sur les lieux j'ai du mal à imaginer que c'était la même maison que nous possédions. La réunion familiale se tient au milieu de la cour. On suit de près les traits de mon visage figé par la stupéfaction.

Tonton Mompéro, qui m'a fait visiter la parcelle dès mon arrivée, m'a dévoilé qu'une partie de la maison a été « découpée » et qu'elle n'a plus maintenant qu'une pièce dans laquelle il dort.

– On peut entrer voir ? lui ai-je demandé.

– Non, je ne veux pas que tu ailles dedans...

Je n'ai pas insisté, et nous sommes retournés dans la cour qui s'animait de plus en plus depuis que les boissons étaient arrivées...

Alors que la réunion tire vers sa fin je me penche vers mon cousin Kihouari pour lui demander le permis d'occuper qu'avait signé ma mère à l'époque. C'est un bout de papier rose remis par le service du cadastre avec les nom et prénom de ma mère. Il est indiqué que le terrain a une superficie de quatre cents mètres

carrés. À vue d'œil, je doute qu'il y ait autant d'étendue. Kihouari m'apprend qu'il y a bien quatre cents
mètres carrés comme mentionné dans la désignation
cadastrale, mais nos voisins de derrière ont grignoté
plusieurs mètres carrés lorsqu'ils ont construit le mur
qui sépare notre parcelle de la leur.

— Ce mur est en réalité sur notre terrain… conclut-
il, l'air résigné.

Je me souviens que jadis les deux parcelles n'étaient
séparées que par des piquets et des fils barbelés. En ce
temps-là nos voisins avaient bâti, eux aussi, une « maison
en attendant », un peu plus grande que la nôtre. Maintenant
ils ont une grosse baraque en dur et ce grand mur qui
ne nous permet plus de voir ce qui se passe chez eux.

Tonton Mompéro tend l'oreille et saisit ce que
Kihouari me raconte. Mon oncle ajoute, mais à haute
voix comme pour prendre l'assistance à témoin :

— Après l'enterrement de ma sœur Pauline Kengué, ces
voisins n'ont même pas attendu deux semaines, ils ont
élevé ce mur ridicule sans nous en parler ! Au passage,
ils nous ont piqué plusieurs mètres carrés. Est-ce que tu
trouves ça normal, hein ? Ce mur est dans notre parcelle !

Il y a un tohu-bohu de mécontentement. Tout le
monde veut exprimer son exaspération face à cette
injustice. On attend ma réaction.

Je les rassure :

— Demain je me rendrai au service du cadastre pour
qu'on vienne remesurer les dimensions de cette parcelle ! Ça ne va pas se passer comme ça, c'est du vol !

Un torrent d'applaudissements suit mes propos. Seul
Kihouari n'applaudit pas alors que j'étais certain qu'il
appuierait ma détermination.

Il me fait signe de la tête et nous nous éloignons
de l'assemblée pour nous retrouver dans un coin, juste

derrière la cabane. Le visage de plus en plus sombre il pose une main sur mon épaule gauche.

– Je t'en supplie, ne fais surtout pas ce que tu prévois de faire demain...

– Qu'est-ce que tu veux dire par là ?

– Ne va pas au service du cadastre...

– Tu rigoles ou quoi ? On nous vole des mètres carrés et toi tu trouves ça normal ? Dis-moi la vérité : est-ce que les voisins t'ont filé de l'argent ?

– Non, absolument pas ! Comment peux-tu penser une telle chose ? Moi, Kihouari, vendre une partie de la parcelle de ma tante ?

– Où est donc le problème ?

Il marque un moment de silence et regarde vers les membres de la famille. L'assistance se réduit petit à petit. Certains commencent à s'en aller, d'autres nous épient et se demandent ce que nous tramons près de la vieille bicoque.

Kihouari se racle la gorge :

– Je crois qu'il faut que je te dise quelque chose de très important, tu sembles déconnecté de la réalité depuis que tu ne vis plus dans cette ville...

Je ne l'ai jamais vu prendre un air aussi grave. La mort de sa mère, Dorothée Louhounou – une autre des grandes sœurs de ma mère –, l'a sans doute mis devant ses responsabilités : être à la tête de plus d'une dizaine de sœurs et de frères, et donc devenir un sage avant l'heure.

– Ces voisins que tu veux attaquer, c'est un peu notre famille aussi. Le propriétaire, monsieur Goma, est mort un an après tante Pauline Kengué. La femme de monsieur Goma a été délogée comme une chienne pestiférée par les frères du disparu. Les enfants, quant à eux, sont éparpillés dans le village de leur mère.

Deux d'entre eux, Anicet et Apollo, vivent en France et à Londres et n'ont plus donné de leurs nouvelles. Ils doivent avoir à peu près ton âge, et vous avez joué ensemble dans notre cour et dans la leur. Tu allais même manger chez eux, et ils venaient parfois manger chez nous. Aujourd'hui c'est le petit frère du défunt monsieur Goma qui s'occupe de leur parcelle. C'est vrai qu'il est un peu spécial, mais c'est quand même grâce à lui que leur parcelle n'a pas été vendue par ceux-là mêmes qui avaient expulsé la veuve et voulaient s'emparer de l'héritage et déposséder les enfants ! Rien que pour ça je le respecte, crois-moi. Est-ce que tu as remarqué qu'il est passé nous dire bonjour et a insisté pour figurer sur les photos que nous avons prises dès que tu es arrivé ? Il s'appelle Mesmin, il t'a connu gamin, et c'était pour lui une façon de montrer qu'il était presque un membre de notre famille. Ça sert donc à quoi d'en arriver maintenant à l'affrontement au tribunal ? Toi tu vas partir en Europe ou en Amérique, et tu vas nous laisser des patates chaudes. Toutes les choses que nous avons sur terre resteront lorsque nous partirons là-haut, je ne vois donc pas de raison de se livrer une bataille pour ça…

Je suis sans voix. Kihouari rejoint la famille pendant que je ne quitte pas des yeux la petite cabane.

Je tourne autour de la bicoque et bute contre les pierres disposées devant la façade principale. Autrefois c'étaient deux marches d'escalier. Les saisons avaient fini par les grignoter, ne laissant plus que ces débris épars que personne n'ose déplacer, par respect de la mémoire de ma mère. Les vieilles planches, liées par une solidarité inébranlable, se tiennent les unes aux autres et défient le temps. À gauche, du côté de la seule fenêtre, je remarque par terre quelques bouts de bois et de planches sans doute détachés par l'usure. Personne n'imaginerait s'en servir pour faire du feu, on les utilise pour caler les angles afin de retarder le plus longtemps possible l'effondrement de la masure. Des fils et des bâtons posés au-dessus des tôles soutiennent la toiture. La porte d'entrée a été mangée tout en bas par les termites.

Oui, je dormais là-dedans. Les rêves n'étaient pas aussi étriqués que l'espace de cette habitation. Tout au plus, lorsque je fermais les yeux et que le sommeil me greffait des ailes de voyageur, je me retrouvais dans un vaste royaume, pas dans une bicoque qui ressemble aujourd'hui à l'abri d'un pêcheur sorti tout droit des pages du *Vieil Homme et la mer*, voire du *Vieux qui lisait des romans d'amour*.

À force de trop m'appesantir sur la cabane je perds de vue qu'il y a un bâtiment en dur sur la parcelle, avec trois petits studios. Les deux sont habités par des locataires, et le troisième par le petit frère de Kihouari, sa femme et ses trois enfants.

Kihouari arrive derrière moi :

– C'est tante Pauline Kengué qui avait commencé les travaux de cette maison en dur… Il n'y avait que deux studios à sa mort, nous en avons rajouté un troisième…

Le jour se couche. Un taxi vient de se garer devant la parcelle. C'est tonton Jean-Pierre Matété qui l'a appelé. Je m'apprête à m'y engouffrer au moment où je sens derrière moi, une fois de plus, la présence de Kihouari.

– Mon frère, cette vieille cabane fait la honte de la famille, on va la détruire pour construire quelque chose d'autre à la place…

Je le fusille du regard.

– Pas question ! Je vais plutôt la restaurer parce que ce lieu n'aura plus de sens si la cabane n'est plus là.

Avant d'entrer dans la voiture, j'ajoute :

– C'est le château de ma mère…

Il me regarde avec commisération, ne comprenant pas pourquoi je m'intéresse plus à la bicoque qu'au bâtiment en dur dont il est visiblement fier. Je le déçois presque lorsque je conclus :

– C'est plutôt cette construction en dur que je vais détruire pour la remplacer par une autre… J'entreprendrai les travaux l'année prochaine.

Le taxi démarre pendant que tonton Mompéro, tonton Matété et Grand Poupy me disent au revoir de loin. Je reviendrai un de ces jours…

C'est le dernier de ma vie.

Il ne pensait pas seulement, ne comprenait pas comment il pouvait plus à la bataille qu'il aimait, du fond du cœur, encore à cette te deux nuages rouges... partir.

Il sentait qu'être chez soi en son âge, ne pas le plus le connaître par cœur... répugnait dans les travaux... aussi vaste toile.

Il disait bien, selon que l'amour disparu à la terre... mais Paul qui me disait si peu... de toutes les visions de ce qu'après...

Pour une poignée de dollars

J'erre dans le quartier Voungou en cette fin d'après-midi. Peut-être pour rechercher des indices qui me rappelleraient les vadrouilles de mon enfance dans les parages. Je reste parfois immobile pendant quelques secondes et ferme les yeux, persuadé que ceux-ci ne pourraient me dévoiler le vrai visage de choses qui se bousculent dans ma mémoire et dont les contours sont devenus imprécis avec le temps. Ceux qui me croisent pressentent que je ne suis pas d'ici – ou plutôt ne suis plus d'ici – car qui, en dehors des fous de la ville, oserait par exemple s'attarder sur un tas d'immondices, sur une carcasse d'animal ou s'émouvoir devant le caquètement d'une poule dont on ignore ce qu'elle fait sur un des étals d'un marché désert ?

Les membres de la famille que j'ai vus hier pendant notre réunion ignorent que je ne suis qu'à deux cents mètres de la propriété de ma mère, tel un criminel qui retourne sur le lieu du forfait pour s'assurer de la perfection de son acte ou pour gommer les traces qui conduiraient les enquêteurs vers lui. S'ils m'apercevaient, ils improviseraient une deuxième réunion avec deux chaises vides à la mémoire de mes parents.

J'emprunte donc les artères de derrière, la casquette vissée jusqu'aux arcades sourcilières. Au moment où j'atteins une intersection et laisse circuler deux taxis afin de traverser la place du marché, j'entends une voix féminine plus loin, devant moi :

– Petit frère ! Petit frère ! Petit frère !

Je lève la tête et retiens ma surprise : c'est Georgette.

Elle est debout au milieu de la terrasse d'un petit bar. Elle est le deuxième des huit enfants que papa Roger a eus avec ma « seconde mère », maman Martine. J'aperçois aussi Yaya Gaston derrière elle, attablé devant une bouteille de Pelforth. Il porte des lunettes de soleil et une combinaison orange, celle qu'enfilent les manutentionnaires du port maritime de Pointe-Noire. La sienne est négligée, maculée de taches de graisse noire. À croire qu'il ne se change pas, utilise ce vêtement aussi bien pour le travail que pour ses déambulations dans la ville. Il me fait signe de la main de venir les rejoindre.

Je trouve étrange de les voir là par hasard et me dis qu'une telle coïncidence n'existe que dans les westerns spaghettis où les protagonistes, surgis d'on ne sait où, échangent deux ou trois mots durs, sortent leurs pistolets et se tirent dessus. Que font-ils à cet endroit d'où on aperçoit la propriété de ma défunte mère ?

– Viens, viens prendre un pot avec nous, insiste Georgette sans pour autant manifester sa joie de me voir après toutes ces années.

Le pas hésitant, j'entre dans le bar.

Georgette, la cinquantaine révolue, refuse le verdict de l'âge, se blanchit la peau et se teint les cheveux. On distingue malgré tout des cheveux blancs disséminés sur ses tempes et sa nuque. C'est un bout de femme avec la tête de papa Roger – c'est pour cela que nous l'appelions jadis « Photocopie », même si cela l'horripilait. Yaya Gaston semble assumer son âge, bien qu'il ait pris un grand coup de vieux. Il a les lèvres rougies par l'alcool et une barbichette mal taillée. Il essaie de se lever pour m'embrasser et n'y parvient pas.

— Reste assis ! lui dit Georgette qui s'efforce de me masquer une réalité pourtant criarde : le grand frère est éméché, et il en va ainsi tous les jours.

C'est elle qui me désigne un tabouret et commande une bière. Le visage fermé, avec l'air de celle qui couve une rancœur, elle commence :

— Tu es venu faire quoi dans cette ville ? Tu penses qu'on a encore besoin de toi ?

Je prends le coup sans broncher. Elle revient à la charge :

— Tu es à Pointe-Noire depuis quelques jours, et tu n'es pas venu nous voir !

Yaya Gaston coupe sa sœur et vole à mon secours :

— Moi je t'ai vu avant-hier à ta conférence à l'Institut français !

En effet, je l'avais croisé l'avant-veille. Et la rencontre m'avait plutôt laissé un souvenir désagréable. J'avais eu de la peine pour lui, mais aussi pour la mémoire de notre père. J'avais remarqué sa présence au moment où il était sur le point d'être éjecté de la salle pour avoir perturbé l'assistance. Tenant à peine debout sous l'effet de l'alcool, il réclamait le micro avant la fin de la conférence sous les huées et les éclats de rire de la foule. On le lui tendit, il s'en empara, mais répétait en boucle « Allô ! Allô ! Allô ! » comme s'il tenait un combiné téléphonique. Il avait finalement réussi à dire, toujours sous l'hilarité des trois cents personnes présentes :

— Allô ! Allô ! Allô ! Je m'appelle Gaston. C'est moi le fameux personnage Yaya Gaston dans le roman *Demain j'aurai vingt ans* qui parle aussi de notre défunt père, papa Roger ! Je suis le grand frère de ce monsieur, l'écrivain qui est en face de vous ! Lui et moi c'est même père, même mère, même ventre !

Un remue-ménage avait parcouru l'assistance. Les insultes venaient de partout, toutes orientées vers Yaya Gaston à qui on venait d'arracher le micro. Voyant que les agents de sécurité s'apprêtaient à le sortir de force, je me suis rapproché de mon micro :

– Laissez-le tranquille, c'est mon grand frère…

Un silence de cimetière a traversé la salle, interrompu quelques secondes après par les cris de victoire de Yaya Gaston qui éructait :

– Qu'est-ce que je vous disais ? Est-ce qu'il n'a pas reconnu que moi je suis son grand frère, même père, même mère, même ventre, hein ? Respectez-moi ! Respectez-moi, je vous dis ! Je suis un personnage de roman ! Je suis célèbre, et les gens me connaîtront même après ma mort ! Combien parmi vous ici sont des personnages d'un roman ? Zéro ! Je vous le répète : même père, même mère, même ventre ! Allez, mon petit, tu peux continuer ta conférence, moi je ne dis plus rien, je t'attends !

À la fin de la rencontre je n'avais pu que lui fixer un rendez-vous au domicile de mon père dans les prochains jours.

– File-moi de l'argent pour le transport !

Il avait vite empoché le billet de dix mille francs CFA que je lui avais tendu et avait tourné les talons en murmurant :

– Nous t'attendons à la maison ! Maman Martine ne vit plus à Pointe-Noire, elle s'est retirée au village depuis la mort de papa Roger, mais je lui transmettrai l'argent que tu as rapporté pour elle. Je vais annoncer la nouvelle de ta venue à tout le monde…

La nuit de cet incident à l'Institut français je n'avais pas dormi. Je comptais les insectes qui se heurtaient contre la grosse ampoule au-dessus de ma tête. Mon frère avait-il besoin de rappeler nos liens et de subir une humiliation de cette foule dans laquelle on dénombrait des individus qui savaient que je n'avais pas un frère ou une sœur « même père, même mère et même ventre » ? Pensait-il que seul le sang rapprochait deux êtres et non ce qu'ils avaient vécu ensemble ? Il était en tout cas convaincu qu'affirmer que nous étions des frères de sang hausserait son crédit aux yeux de l'audience. Dans l'autre sens, s'il avait déclaré que j'avais été adopté par son père, cela l'aurait fait passer pour un ouvrier de la vingt-cinquième heure. Voir Yaya Gaston aussi déguenillé ce soir-là m'avait plus qu'affecté. Les railleries dont il fut la victime me mirent mal à l'aise car je les subissais autant que lui. Le public s'en rendit compte au moment où j'eus un chat dans la gorge et vit que je ne répondais plus avec cette énergie que j'avais au départ de la rencontre. Yaya Gaston n'est pas n'importe qui dans mon existence, et c'est pour cela qu'il compte parmi les personnages principaux de *Demain j'aurai vingt ans* où je le dépeins comme un maniaque de la propreté, une idole, un héros, un grand frère à part entière. Il m'avait pris sous son aile, et nous habitions dans la même chambre chez papa Roger malgré la jalousie de ses frères « même père, même mère, même ventre ». Les souvenirs de cette époque me hantent encore, avec les multiples copines de Yaya Gaston – dont la généreuse Geneviève – qui prenaient d'assaut notre petite pièce et étaient toutes amoureuses de lui.

Je voulais revoir mon grand frère. J'avais bien fait, me disais-je, de lui fixer un rendez-vous dans le domicile de notre père car nous ne pouvions pas discuter en toute tranquillité au regard de l'état d'excitation qui était le sien cette nuit-là. Mais voilà qu'il n'avait pas attendu ce rendez-vous et faisait le guet avec Georgette, non loin de chez ma mère, à l'intérieur de ce bar, dans l'espoir de m'apercevoir.

Je n'ai pas eu de liens très proches avec Georgette. Elle était sans cesse dehors avec ses amies, multipliait les fugues malgré l'ire de papa Roger. En conflit permanent avec maman Martine, parfois avec Yaya Gaston qui aurait dû nous inspirer le respect puisqu'il était l'aîné de la famille, Georgette était alors une fille « à la page ». Elle s'habillait à la limite de l'indécence à cette période où la jeunesse ponténégrine tendait ses bras à la Sape, la Société des ambianceurs et des personnes élégantes. Ses amants étaient des « Parisiens », des jeunes venus de France pour exhiber des habits extravagants au pays pendant la saison sèche. Ils avaient la peau blanchie à l'aide des produits à base d'hydroquinone, des ventres bedonnants – ce qui était selon eux l'un des signes de l'élégance, un ventre rebondi tenait mieux la ceinture et le pantalon qu'un ventre plat. L'arrivée de ces jeunes premiers à Pointe-Noire semait le trouble dans les familles. Les jeunes filles perdaient la tête, devenaient des rebelles et passaient des nuits entières à suivre les Parisiens dans les différents bars.

En revoyant ma sœur aujourd'hui j'ai compris tout de suite qu'elle était à l'origine de ce traquenard et qu'elle avait abusé de l'ivresse de Yaya Gaston qui n'avait fait que la suivre.

*

Le serveur dépose une bière devant moi.

– Bois pendant qu'elle est fraîche, me conseille Georgette qui a l'air de s'être calmée.

Je m'exécute pendant qu'elle ajoute, l'air victorieux :

– Nous savions que tu allais traîner dans les environs de la parcelle de ta mère, c'est pour ça que nous nous sommes installés ici depuis la fin de la matinée ! Tu as toujours plus aimé ta mère que notre père !

Un jeune homme d'une trentaine d'années se joint à nous. Georgette lit mon étonnement et me le présente :

– C'est le cousin de papa Roger, donc c'est aussi ton cousin. C'est moi qui lui ai dit de passer. Il prendra l'argent que tu aurais pu donner à papa s'il était encore vivant...

Yaya Gaston acquiesce d'un hochement de la tête :

– Petit frère, ne t'en fais pas, tu lui donneras au moins cinquante mille francs CFA, et ce cousin sera content !

Georgette sursaute de son tabouret :

– Quoi ? Cinquante mille francs CFA ? Gaston, tu te rends compte de ce que tu dis ? C'est une somme comme ça qui ferait revenir notre père sur terre ? Et moi il me donnerait combien alors ? La même somme ?

Yaya Gaston se reprend :

– Calme-toi, ma sœur, toi je suis certain que le petit frère te filera pas moins de cent mille francs CFA ! Je connais sa générosité !

– Pas question ! Je refuse qu'on se moque de moi ! Je n'accepterai pas une petite somme après ces années qu'il a passées à l'étranger sans nous voir ! Est-ce qu'il nous a envoyé un seul mandat depuis qu'il est parti, hein ? Il me faut un million de francs CFA ! Nous on a enterré seuls papa, on a dépensé de l'argent, et lui il n'a rien envoyé ! Tu penses que moi Georgette je vais prendre cent mille francs CFA ? Jamais ! Et s'il me donne ces cent mille francs, je les jette dans la rue, crois-moi !

Je fais un calcul mental : je n'ai que trente mille francs CFA dans la poche, loin de la somme faramineuse escomptée par ma sœur qui m'inspire de plus en plus d'antipathie. Je ne la regarde plus dans les yeux car je la prends désormais pour une étrangère. Elle ne parle que d'argent, pas de la mémoire de notre père. En gros, il faudrait que je rembourse les frais des funérailles de papa Roger. Je me demande pourquoi ma famille maternelle n'a pas eu la même attitude puisque je n'ai pas non plus assisté aux obsèques de maman Pauline et qu'on ne m'a pas présenté l'addition. J'essaie de contenir mon exaspération.

Le prétendu cousin de mon père pose de temps en temps ses yeux sur mes chaussures. Au bout d'un moment, il sort enfin de son mutisme :

– Tu me laisseras ces chaussures ?

Yaya Gaston baisse à son tour les yeux sur mes Camper, très pratiques pour la canicule.

– Petit frère, c'est à moi que tu donneras ces chaussures ! Le cousin de papa s'en achètera avec l'argent que tu lui laisseras...

Le prétendu cousin regarde la chemise blanche et le jean que je porte. Avant même qu'il ouvre la bouche, Yaya Gaston le devance :

– La chemise et le jean sont pris ! C'est à moi. Et le petit frère devra me donner un costume en plus, le même qu'il portait pendant sa conférence...

Je ne sais plus comment me tirer de ce piège. Il me faut trouver un prétexte pour quitter ces lieux.

Je me risque à demander :

– Notre rendez-vous dans le domicile de papa tient toujours ?

– Bien sûr que oui ! rétorque Georgette. Les gens sont prévenus et chacun attend avec impatience sa part, mais moi il faut me filer la mienne maintenant parce que je ne veux pas me mêler aux autres lorsqu'ils vont se bagarrer pour ça.

– Je n'ai rien ici, je ne pensais pas vous trouver dans les parages et...

Yaya Gaston me coupe :

– Écoute, petit frère, si tu as même vingt ou trente mille francs CFA, file-nous ça pour le transport. Le reste tu nous le donneras le jour de la réunion à la maison.

Georgette n'est pas de cet avis :

– Gaston, tu peux fermer de temps en temps ta bouche ? Est-ce que tu entends ce que je dis, moi ? Tu veux qu'on me donne autant d'argent devant la famille ? Tu cherches des problèmes ou quoi ?

– Il n'a qu'à venir une heure avant, vous vous retirez dans un bistrot et il te donne ton argent ! intervient le prétendu cousin.

– C'est pas idiot comme idée, appuie Yaya Gaston.

Georgette cherche le moyen de contrer cette proposition, mais cela prend du temps. Elle se résout à déposer les armes :

– D'accord, on va faire comme ça ! Pour l'instant donne-nous déjà les vingt ou trente mille francs CFA de transport.

Du lieu où nous sommes au domicile de mon père le transport coûterait moins de mille francs CFA. Je ne souhaite plus marchander et fouille dans la poche de mon pantalon. Je m'arrange pour tirer deux billets et dépose vingt mille francs CFA sur la table. Georgette les empoche sans que les deux autres bronchent. Il me reste dix mille francs CFA pour mon propre transport et un repas au restaurant Chez Gaspard.

En me levant je sais déjà que je n'irai pas à cette réunion familiale, que jusqu'au jour où je quitterai Pointe-Noire je ne reverrai plus Yaya Gaston à cause de Georgette.

Je sors du bar pendant qu'ils se partagent les vingt mille francs CFA. Je n'existe plus pour eux car j'entends Georgette qui engueule les deux autres :

– Non ! Moi je prends douze mille, et vous deux, vous vous partagez les huit mille !

La femme aux deux visages

Ma cousine Bienvenüe a été admise à l'hôpital Adolphe-Sicé. Son frère jumeau, Gilbert, me l'a appris au téléphone il y a quelques minutes.

– Comme tu ne loges pas loin de l'hôpital, tu pourras passer la voir, ça lui fera plaisir, a-t-il insisté.

Je ne lui rendrai peut-être pas visite, je n'en aurai pas le courage même si du balcon de l'appartement que j'occupe j'aperçois ce bâtiment colonial vétuste, presque retiré de la ville et qui tourne le dos à l'océan Atlantique. Depuis que je suis là, chaque matin je l'observe, une tasse de café à la main. Lorsqu'un corbeau se pose sur son toit je me dis qu'il comptabilise le nombre de tours qu'opèrent les ambulances dans la journée entre la cité et ce lieu austère en décrépitude que la population qualifie souvent de « mouroir ». Pendant mon adolescence, pour me rendre au lycée Karl-Marx je passais devant, le ventre noué par l'angoisse. J'étais persuadé, comme la plupart des lycéens, qu'il ne fallait surtout pas regarder par là-bas au risque d'attirer le mauvais sort dans sa famille. Les grandes personnes étaient catégoriques lorsqu'elles affirmaient qu'il ne fallait jamais « montrer sa figure à l'hôpital », celui-ci la retiendrait, s'en souviendrait le jour où vous entreriez en son sein et vous ôterait la vie. Certains d'entre nous, à l'approche du bâtiment, se couvraient le visage avec leur chemise. D'autres marchaient en donnant le dos à l'édifice. Cette crainte était en réalité alimentée par un personnage dénommé Basile, qui s'occupait de la morgue dans cet hôpital. On rapportait qu'il se livrait à des pratiques pour le moins étranges. Il discutait avec les cadavres, les fouettait quand ils ne se tenaient pas tranquilles dans les chambres froides. Sa colère était à son comble lorsqu'il s'agissait de macchabées de jeunes filles à qui il reprochait d'avoir mené une vie de débauche. Il les giflait, les fardait, les entassait comme des bêtes dans un seul coffre et tempêtait :

– Alors, on ne fait plus les fières, hein ? Vous croyiez échapper à la morgue ? Il n'y en a qu'une seule dans la ville ! Pour moi l'être humain n'est qu'un paquet de chair, et c'est cette chair qui nourrira les vers !

Dans les quartiers populaires on croisait Basile qui parlait aux personnages invisibles avec de grands gestes. Les chiens couraient après lui mais ne s'approchaient pas trop de ce petit homme au regard rouge.

Enfin, il était de notoriété publique que Basile ne mangeait pas de viande, convaincu qu'il en avait vu de toutes les couleurs et que pour lui il n'y avait pas de différence entre la viande de bœuf et la chair humaine…

La voix de Gilbert était presque éteinte :

– Bienvenüe est dans la chambre 1. Tu sais, c'est la chambre où papa a été hospitalisé…

Après un silence, il a ajouté, énigmatique :

– … et comme papa est mort dans cette chambre…

Cette conclusion a sonné comme l'acceptation d'un verdict funeste auquel il s'attendait. Ne sachant trouver les mots justes pour le rassurer, je me suis contenté de demander :

– Il n'y a pas une autre chambre que celle-là ?

– Tout est pris, et si la 1 était libre c'est parce que les gens préfèrent retourner chez eux avec leur malade plutôt que de l'hospitaliser dedans... Mais moi je ne pouvais pas me permettre ça alors qu'elle souffrait...

Tonton Albert est mort il y a déjà plus de trois décennies après une hospitalisation dans cette chambre 1 où étaient passés, bien avant lui, deux autres membres de la famille, l'oncle Mouboungoulou et l'oncle Makita, tous décédés « à la suite d'une longue maladie à l'hôpital Adolphe-Sicé » comme l'indiquait les communiqués qu'on entendait le soir à la radio et qui permettaient de ne pas divulguer les causes de la disparition.

– En plus il n'y a pas de médecin qualifié pour soigner sa maladie, j'ai téléphoné au cousin Paulin qui est maintenant médecin au CHU de Brazzaville, il ne pourra venir à Pointe-Noire que dans trois jours. Pour l'heure on ne donne que de l'aspirine à Bienvenüe...

– Ça ira, ai-je murmuré, n'oublie pas qu'elle est une jumelle et qu'elle et toi vous formez un seul corps... Elle s'en sortira par ta force, si tu y crois.

Ces paroles ont consolé mon cousin puisqu'en raccrochant il a poussé un soupir de soulagement...

La veille de cette hospitalisation Bienvenüe me montrait encore une de ses photos de jeunesse. Au fond je savais qu'elle n'avait qu'une idée en tête : refuser le corps maigre qui était le sien aujourd'hui et me catapulter vers cette époque où elle était la jeune et belle fille qui faisait tourner la tête aux garçons. Elle semblait s'excuser d'être ce qu'elle était devenue. Quoi d'étonnant puisque les malades ont pour habitude de se réfugier dans la justification, quel que soit leur état ? Avait-elle des raisons de se comporter ainsi à mon égard alors que je l'avais connue belle et enjouée ? En ce temps-là – elle avait une douzaine d'années –, nous dormions dans le même lit, Gilbert, elle et moi. Ma présence entre ces jumeaux contre-balançait en quelque sorte les choses : j'étais un mur de séparation, une façade qui les initiait à entamer les premiers pas vers une indépendance au lieu de ne voir le monde que sous l'angle de la gémellité. Nous formions un trio indissociable de jour comme de nuit. Gilbert, qui avait une réputation d'enfant gâté et d'égoïste indécrottable, m'appréciait pourtant jusqu'à me prêter les jouets auxquels il tenait – en particulier un train électrique qui, à nos yeux, était le plus beau jouet de la terre. On pouvait voyager avec, traverser des ponts, croiser des tribus d'Indiens ou livrer des batailles épiques devant une gare fantôme. Gilbert pou-vait aussi m'utiliser comme un bouclier pour masquer ses travers les plus blâmables. Je pense par exemple à sa phobie du noir. Tonton Albert éteignait souvent la lumière pour une histoire d'économie d'énergie, ce qui n'était pas de nature à tranquilliser mon cousin. Celui-ci frissonnait dans le lit, persuadé qu'un monstre à trois têtes qui, selon lui, logeait dans les égouts de la rue de Louboulou, apparaîtrait au milieu de la nuit pour nous dévorer. Il décrivait cette créature en s'appuyant sur les images de *Ghidrah, le monstre à trois têtes* que ses grands frères Jean de Dieu, Firmin et Abeille projetaient dans la cour à l'aide d'un appareil que leur père leur avait offert. Dans ce film une prophétesse d'une autre planète descend sur terre afin de nous annoncer l'arrivée imminente d'un dragon à trois têtes surnommé King Ghidorah. La seule chance de nous sauver serait entre les mains de Rodan et Godzilla, eux aussi de retour, et qui devraient s'unir avec Mothra pour vaincre la terrifiante créature. Et comme Gilbert était certain que Rodan et Godzilla ne viendraient pas jusqu'à la rue de Louboulou pour nous protéger – parce que cette artère n'était répertoriée sur aucune carte du monde –, il demandait à dormir entre nous deux et se cachait sous la couverture jusqu'au petit matin. Cette trouille le conduisait à ne pas utiliser le petit pot qui nous servait d'urinoir et que mon oncle déposait juste à l'entrée de la chambre. Sortir de sa cache serait prendre le risque de tomber dans la gueule du monstre tricéphale. Il arrosait le lit d'urines chaudes et abondantes et m'imputait le lendemain la responsabilité de cette gaffe sans que sa sœur vienne à mon secours au moment où tonton Albert me sermonnait et que mon silence m'accablait. Pour que je me taise ainsi, Gilbert me menaçait de ne plus me prêter son train, ou pire, de ne plus dormir avec eux...

Tonton Albert entourait la jumelle de tous les soins, faisant d'elle une enfant à part. Cela agaçait Gilbert qui grognait dans son coin, mais se calmait par la suite lorsque sa sœur lui remettait la moitié des présents qu'elle avait reçus de mon oncle. Ma mère, elle aussi, avait une tendresse particulière pour Bienvenüe. Dès qu'elle rendait visite à tonton Albert, elle demandait d'emblée :

– Où est ma fille Bienvenüe ?

Bienvenüe sortait alors de la chambre et se ruait sur maman Pauline qui sollicitait de tante Ma Ngudi la permission de l'emmener avec elle passer la journée au Grand Marché.

– Mais Pauline, Bienvenüe est ta fille ! Pourquoi tu me demandes l'autorisation de la prendre avec toi ?

Bienvenüe revenait le soir les mains chargées de cadeaux. J'éprouvais secrètement une jalousie, surtout que ma mère ne m'avait jamais emmené avec elle dans ce marché où je l'aurais vue discuter avec ses clients pendant que j'en aurais profité pour grignoter quelques graines d'arachides, manger une banane mûre avec des beignets béninois et boire du jus de gingembre.

En vérité nous craignions Bienvenüe non pas pour son caractère orageux et imprévisible, mais à cause des croyances de notre tribu selon lesquelles une jumelle était plus puissante qu'un jumeau. Du coup, dès que Bienvenüe était en colère, nous prenions la poudre d'escampette jusqu'à ce qu'elle vienne nous chercher et nous rassurer :

– Revenez, je ne vous maudirai pas, ma colère est passée…

Si Gilbert et moi avions fui et étions cachés dans la parcelle de grand-mère Hélène, c'était parce qu'il y avait une autre croyance selon laquelle une jumelle en colère était capable de boucher vos oreilles pendant plus d'une heure.

Dans ces conditions, quels étaient les pouvoirs de Gilbert ? On l'ignorait, sans doute les avait-il transmis à sa sœur comme c'était le cas, disait-on, pour les faux jumeaux, l'opposition de sexe, d'après ces mêmes croyances, étant toujours à l'avantage de la fille.

En tout cas Bienvenüe était heureuse de me voir et de me montrer ses photos, mais son frère s'était abstenu de m'informer qu'il l'accompagnerait à l'hôpital le lendemain. Devant moi, il assistait, impassible, à l'euphorie de sa sœur dont les yeux brillaient de nostalgie.

– Qu'est-ce que tu as fait pendant ces vingt-trois ans à l'étranger ? Je ne me souvenais même plus que tu étais un peu plus grand de taille que Gilbert !

Comme si les photos que j'avais vues ne suffisaient pas à la convaincre que j'avais gardé les traces de sa beauté d'autrefois, elle a demandé à son frère d'aller décrocher du mur une autre qui lui tenait à cœur.

– Je veux qu'on me photographie avec cette photo-là !

Elle s'est assise dans le fauteuil vert du salon, l'image ostensiblement posée sur ses jambes, pour se laisser prendre en photo avec ce sourire circonspect qui m'a persuadé qu'elle avait encore de l'énergie pour lutter contre son mal qui empirait de jour en jour.

Je l'ai regardée droit dans les yeux :

– Tu t'en sortiras, crois-moi...

Elle a chassé quelques mouches qui s'aventuraient sur ses pieds engourdis et s'est confondue en excuses :

– C'est le sang... Il ne circule plus bien et mes reins sont un peu bouchés... Les mouches en profitent...

Je regardais maintenant ce plafond du salon mangé par les eaux de pluie, et peut-être sur le point de craquer.

– Je dois faire des travaux, a murmuré Gilbert, un peu gêné par mon inspection.

Le jour déclinait. J'ai embrassé Bienvenüe et les enfants. Gilbert a souhaité m'accompagner jusqu'à l'avenue de l'Indépendance où j'allais prendre un taxi. Bienvenüe, debout devant la porte de la parcelle avec sa fille, ses nièces et ses neveux, nous voyait nous éloigner et se disait sûrement que c'était la dernière fois que nous nous verrions...

Un corbeau vient de se poser sur le toit de l'hôpital. Je ne crois pas que c'est pour m'annoncer une mauvaise nouvelle. Parce que quelque chose me dit que Bienvenüe se relèvera de sa maladie. Pourtant l'oiseau regarde dans ma direction et déploie ses ailes comme s'il s'apprêtait à venir vers moi. Plus aucune voiture ne traverse l'artère qui passe devant le bâtiment de l'Institut français. Une appréhension soudaine s'empare de moi, j'avale d'un trait mon café et regagne le salon pour relire les notes que j'ai prises jusqu'à présent et poursuivre l'écriture de ce livre…

Les enfants du paradis

J'ai maintenant beaucoup de « nièces » et de « neveux ». Un petit groupe m'entoure dans la parcelle de tonton Albert, avec de gros yeux qui me dévorent, de petites mains qui me tirent par la chemise. Dès que je bouge d'un pas, cette tribu bourdonnante me suit, et si je m'arrête, elle s'arrête aussi, sans doute de peur que je disparaisse. Pour ces mômes je suis une apparition, une ombre qui s'évanouira lorsque le soleil se couchera. Dans leur esprit je ne suis qu'un personnage habilement construit par leurs parents, au point que les pauvres bambins s'imaginent que je pourrais donner des jambes aux paralytiques et la vue aux aveugles. Un d'entre eux – le plus grand de taille – me renifle tel un chien essayant de reconnaître son maître trop longtemps absent. Chacun veut parler le premier. Untel veut des sandales et se lance dans des explications amphigouriques :

– Parce que, tonton, tu comprends, quand tu n'as pas de sandales neuves, tu peux pas arriver à l'heure en classe, tu dois les réparer dans la rue pendant deux heures, et quand tu expliques ça au maître, lui il ne veut pas comprendre, il dit que tu n'es qu'un petit menteur alors que c'est même pas vrai que moi je peux mentir ! Est-ce que toi tu me crois, tonton ?

– Oui, je te crois, Antoine.

Il est heureux, sursaute pendant que j'entends derrière moi une petite voix de fillette timide :

– Tonton, moi je veux la même robe que celle d'Ursule !

– C'est qui Ursule ?

– Je peux pas te dire… Y a trop de gens ici, ils vont se moquer de moi.

– Alors, dis-le-moi à l'oreille…

Je fais signe aux autres de s'écarter un peu et me casse en deux pour arriver à la hauteur de la petite Julie. Elle rapproche sa bouche de mon oreille et susurre :

– Ursule est méchante ! C'est mon ennemie…

– Ton ennemie ?

– Oui, elle a pris mon copain parce que son père lui a acheté une robe rouge avec des fleurs jaunes. Donc moi je veux cette robe pour que mon copain m'aime aussi…

Comme elle me parle dans l'oreille, je lui réponds aussi dans l'oreille. Un jeu qui rend jaloux les autres, je le sens par les mines renfrognées de la plupart d'entre eux. Ils estiment que Julie a un traitement privilégié et chacun veut me parler de cette façon, mais je me redresse.

Ils égrènent à la criée des listes. Plus j'acquiesce, plus les listes se multiplient. Certaines demandes sont plutôt mesurées, comme celle de Célestin :

– Moi je veux des bonbons Kojak.

Un autre est tourné vers la modernité :

– Je veux un jeu vidéo que j'ai vu hier à la télé !

Un des plus prétentieux repousse le groupe :

– Tonton, je suis le plus intelligent de tous ! Moi il faut m'acheter un ordinateur portable…

Un autre le contredit :

– Tonton, il ment, ne l'écoute pas, il a redoublé le CE2 et le CM1 ! C'est moi le plus intelligent, et moi je veux aller en France et en Amérique avec toi !

J'ignore leur nombre exact, et surtout quand ils sont nés. Ils ne sont pas tous présents. Certains ne sont séparés en âge que d'une année, voire de quelques mois. Tous les jours il y en a qui se rajoutent à la longue liste qu'on m'a établie dès mon arrivée dans la ville.

La mère d'un neveu que je ne reconnais pas pousse son fils vers moi :

– Il s'appelle Jaden, il faut lui laisser sa part !

Le neveu se cache derrière sa mère, j'aperçois ses yeux qui brillent.

– Allez, Jaden, dis à tonton ce que tu veux qu'il t'achète !

Intimidé, Jaden suce son pouce et miaule :

– Une voiture…

– D'accord, je te trouverai un jouet demain au centre-ville, je lui réponds.

Là, il écarquille les yeux et ôte son pouce de la bouche :

– Non, je veux une voiture comme pour les grands, avec un vrai klaxon sinon je ferai un accident et quelqu'un va mourir !

Sa mère lui caresse le crâne :

– Jaden, tu es trop petit pour conduire la voiture des grands et…

– C'est pas grave que je suis petit ! Je veux quand même une voiture que je vais garder jusqu'à quand je suis grand…

Ne sachant plus que dire, la mère lâche :

– Tonton te l'achètera et il la mettra dans un garage en France pour toi. C'est en France que les voitures sont bien gardées, on ne les vole jamais là-bas. Et quand tu seras grand, tu iras la chercher toi-même. En plus, tu sais, tu prendras l'avion !

Mais le gamin, très futé, remue la tête en signe d'incrédulité :

– Non, quand il va partir il ne va plus revenir !

– Pourquoi tu dis ça ? réplique sa mère.

– C'est toi qui m'avais dit que ce tonton quand il voyage il reste chez les Blancs pendant vingt ans sans revenir ici, et moi dans vingt ans je serai déjà vieux comme mon papa. En plus papa est vieux et il n'a pas de voiture…

Même lorsque les liens familiaux sont incertains, ils m'appellent tous « tonton », et cela ne gêne personne, encore moins leurs parents. Pour moi qui n'ai pas eu de frère ou de sœur, cela me procure une fierté dont je ne peux expliquer les raisons. Je ne les connais pas, et j'oublierai le visage de beaucoup d'entre eux lorsque je reprendrai l'avion. Le petit Jaden a sans doute raison : combien de gens sont partis et ne sont pas revenus ou ne reviennent que vingt ans plus tard ? La ville en compte presque dans chaque parcelle.

Je dois pourtant apprendre à connaître ces petits anges, à les nommer sans les confondre au risque de les froisser. Même si je les vois pour la première fois, je me sens proche d'eux, et je sais qu'il y a une goutte de mon sang dans leurs veines. Ceux que je connais un peu sont les enfants de Gilbert et ceux de Bienvenüe qui est toujours hospitalisée et dont on ressent l'absence dans la maison. Leurs enfants respectifs insistent pour prendre une photo avec moi. Et ils ont choisi, sans le savoir, le même endroit où, gamin, je m'asseyais avec Gilbert et Bienvenüe pour manger. C'est là que tante Mâ Ngudi me punissait parce que je ne terminais pas mon assiette et que je jouais avec des boules de foufou afin de gagner du temps. Pourtant on pouvait deviner l'amour qu'elle me vouait. Elle fut la première à dire un jour à mon oncle que ce n'était pas moi qui urinais dans le lit, mais mon cousin. Mon oncle fut certes sceptique, poussant tante Mâ Ngudi à procéder à une expérience que Gilbert prit pour le plus grand calvaire de son existence. On le fit dormir seul dans la chambre, Bienvenüe et moi au salon. Le lendemain, le constat était criant : Gilbert, dans sa peur du monstre à trois têtes, avait une fois de plus pissé dans le lit...

Lorsque j'avais été très capricieux à la maison, ma mère me ramenait chez Mâ Ngudi et lui expliquait que je ne mangeais pas, que je jouais à l'enfant unique, pour reprendre sa formule. Ma tante me regardait d'un air de défi et se tournait vers ma mère :

– Il mangera ici, Pauline, ne t'en fais pas, je m'en occupe. S'il fait le malin, je l'enverrai manger les grosses portions de grand-mère Hélène !

Mâ Ngudi s'affairait, préparait un bouillon de viande de bœuf et du foufou. Je voulais m'éclipser, mais son regard noir me tétanisait, et je restais dans la parcelle, assis là où sont installés ces petits neveux pour la photo. Mâ Ngudi posait devant moi un plat fumant et une grosse boule de foufou. L'appétit n'était pas au rendez-vous, il fallait pourtant manger car la tante tenait entre ses mains un fouet en caoutchouc. J'avalais de grosses bouchées que je ne sentais pas descendre dans le ventre. Je réprimais mes larmes, mais l'envie de tousser venait tout ébranler : je vomissais d'un coup pendant que Mâ Ngudi me fouettait et m'intimait l'ordre de terminer mon assiette. Je l'avais toujours vue avec un fouet qu'elle agitait. En face d'elle, je baissais les yeux en signe de soumission. Il était rare de surprendre

son sourire. Il fallait attendre l'arrivée de tonton Albert
pour la voir enfin resplendissante. Cela ne durait pas
longtemps, et nous pensions qu'elle cherchait la petite
bête car, même si tout allait bien et que nous avions
mangé à notre faim, il y avait la vaisselle à laver, la
cour à balayer, les bouteilles consignées à rendre au
bar de l'avenue de l'Indépendance. Elle ne s'acharnait
pas en particulier sur moi puisqu'elle réservait le même
traitement à ses enfants qu'elle fouettait d'ailleurs avec
une vigueur qui m'inquiétait. Devant une telle scène,
alors que je m'attendais à subir à mon tour la même
punition pour une bêtise que nous avions commise
ensemble, je redoutais le pire. Voilà qu'elle tempérait
ses coups de fouet, me rappelant peut-être que je n'étais
pas son enfant et qu'il y avait des limites à sa colère.
Ce que Gilbert et Bienvenüe considéraient comme une
injustice. Ma cousine ne manquait pas de s'en prendre
à moi une fois que sa mère avait disparu. Elle me
pinçait les oreilles et grognait :

– Je te tire tes longues oreilles parce que maman
ne t'a pas bien fouetté comme nous !

*

Un ami de France que j'ai croisé dans le hall de
l'Institut français et à qui j'ai montré ma photo avec
mes neveux a conclu que ces petits, « comme la plupart
des enfants de Pointe-Noire », sont dans un « paradis
de misère ». Le Ponténégrin d'origine s'est lancé dans
le genre de discours de ceux qui, à force de vivre
en Europe, n'ont plus du continent noir que l'image
renvoyée par les médias. Tandis qu'il s'exprimait,
je le regardais avec commisération. Il avait oublié
d'où il venait et espérait que le bonheur passait par

la transposition des habitudes européennes dans notre pays. Il n'a peut-être pas conscience que les chaînes qu'il porte lui-même dans ce qu'il croit être un confort en Europe ne font pas rêver ma petite tribu de la rue de Louboulou. Certes ici il est habillé tous les jours en costume, avec une cravate et des chaussures cirées. Quand je le croise en Europe il n'est pas vêtu de la sorte. Ici il joue un rôle : pérenniser l'idée que le salut de tout Congolais passe par l'Europe. Là-bas, il se confronte à la réalité, celle qu'il ne dévoilera pas aux jeunes qui errent dans les rues de Pointe-Noire : il vit dans moins de vingt mètres carrés, doit se battre pour légitimer sa présence en France, et se lève le matin pour dénicher un travail dans une agence d'intérim près de la gare du Nord.

Ces enfants, eux, savent, à travers la rudesse de l'existence, trouver les points de lumière. J'ai mis du temps avant de comprendre qu'ils étaient tout aussi heureux que je l'étais lorsque j'avais leur âge et que le bonheur était dans le plat qui fumait dans la cuisine, dans l'herbe qui poussait, dans le pépiement d'un couple d'oiseaux amoureux, voire sur l'affiche d'un film indien projeté au cinéma Rex où nous nous alignions dès dix heures du matin pour avoir la chance d'assister à la séance de quinze heures. Nous étions loin des tracasseries de nos parents en qui, de toute façon, nous avions confiance car ils savaient maquiller leurs angoisses, leurs manques, leurs difficultés à joindre les deux bouts de mois pour ne pas entacher notre innocence.

Pensant à cette enfance où nous nous cachions dans les champs de lantanas près de l'aéroport Agostinho-Neto et traquions les coléoptères aux mille couleurs quand nous ne pêchions pas des fretins depuis une des rives de la Tchinouka, j'ai répondu à cet ami habité par son arrogance de « Nègre à Paris » :

— Mes petits ne sont pas dans un paradis de misère, regarde bien la photo : leur bonheur est dans ce pneu et ces tongs… Les tongs pour marcher, le pneu pour tous prendre une moto qu'ils imaginent si gigantesque qu'elle pourrait contenir leurs rêves les plus extravagants. Chaque jour mes nièces et mes neveux sortent en file indienne et marchent le long de la rue de Louboulou. Ils sont soudés par une enfance qu'ils ne troqueront pour rien au monde. Leur verre est petit, pourtant ils boivent dans leur verre. Le tien est grand, mais ne t'appartient pas, et tu dois, à chaque instant, demander la permission de boire. Et cette permission, hélas, ne t'est jamais accordée…

Les dragueurs

Son vrai nom est Alphonse Bikindou, pourtant nous l'appelions par son sobriquet dont nous ignorions le sens et l'origine : Grand Poupy.

Je le retrouve aujourd'hui dans la parcelle de ma mère avec le sentiment qu'il n'a pris aucune ride et que, jusqu'à sa mort, il demeurera tel que je l'avais connu : petit de taille, le front proéminent, des yeux tirés étincelant à la fois d'intelligence et de malice. Il garde désormais une moustache fine et, pour me replonger dans l'époque où j'étais un gamin derrière lui, j'essaie de ne pas considérer cette pilosité qui dresse un mur entre nous. Il est le cousin de ma mère, arrivé de l'arrière-pays à Pointe-Noire à la fin des années 1970 pour habiter avec nous et poursuivre ses études secondaires. Dès le premier jour où je le vis, je fus captivé par sa voix grave et sa façon d'articuler les mots, presque en les détachant. Je venais d'entrer au collège, lui au lycée, et nous nous levions le matin, portions nos tenues scolaires – lui tout en kaki avec un pantalon, moi, la chemise bleu ciel, la culotte bleu foncé et, autour du cou, un foulard rouge de « pionnier de la Révolution congolaise ». Comme je marchais chaque fois derrière lui, de temps à autre il se retournait, m'obligeait à hâter le pas afin d'arriver à sa hauteur. Je n'y parvenais pas, ses petites jambes avaient une mobilité vive et mécanique malgré cette route qui montait, qui montait encore à tel point qu'on dépassait d'autres élèves exténués et assis sur le bord de la chaussée. Un peu plus loin, au croisement de l'avenue Jean-Félix-Tchicaya et de la rue Jacques-Opangault, au moment où nos chemins se séparaient, il jouait le grand frère – il était déjà majeur –, me disait de prendre garde à la circulation et me remettait une pièce de vingt-cinq francs CFA :

– Tu achèteras des beignets et de la bouillie béninoise pendant la récréation. Fais attention que les grands ne te volent pas ta pièce.

Alors qu'il s'éloignait, je m'arrêtais un instant et le voyais longer l'avenue qui débouchait sur le lycée Karl-Marx. Au bout de quelques minutes, il n'était plus qu'un point infime noyé dans la masse des lycéens. Je m'orientais ensuite vers le collège des Trois-Glorieuses où j'arrivais juste à temps pour assister à la levée des couleurs dans la cour et entonner avec les autres élèves l'hymne national que nous devions apprendre par cœur :

> *Lève-toi, Patrie courageuse,*
> *Toi qui, en trois journées glorieuses,*
> *Saisis et portes le drapeau*
> *Pour un Congo libre et nouveau*
> *Qui jamais plus ne faillira,*
> *Que personne n'effrayera.*

> *Nous avons brisé nos chaînes,*
> *Nous travaillerons sans peine,*
> *Nous sommes une Nation souveraine.*

> *Si trop tôt me tue l'ennemi,*
> *Brave camarade, saisis mon fusil ;*

Et si la balle touche mon cœur,
Toutes nos sœurs se lèveront sans peur,
Et nos monts, nos flots en fureur
Repousseront l'envahisseur.

Ici commence la Patrie
Où chaque humain a le même prix.
Notre seul guide c'est encore le Peuple.
C'est lui seul qui a décidé
De rétablir sa dignité.

Grand Poupy affectionnait les chemises blanches et les pantalons en Tergal qu'il repassait avec acharnement le week-end. Il se coupait les cheveux à la manière des acteurs afro-américains de ces années 1970 dont nous nous arrachions les posters vendus par terre sur l'avenue de l'Indépendance, devant les cinémas Rex, Duo et Roy.

La venue du cousin de ma mère modifia la disposition de l'intérieur de notre maison. L'espace était de plus en plus étriqué dans ce trois pièces où mes tantes Sabine Bouanga et N'Soni logeaient dans une chambre, mes parents dans l'autre. Le reste de la famille qui débarquait devait trouver un coin au salon pour étendre une natte sans trop se rapprocher de l'endroit où tonton Mompéro avait installé son lit et ne tenait pas à ce qu'on le déplace. Grand Poupy allait aussi bousculer mes habitudes. Je ne dormais plus avec mon oncle, préférant dorénavant partager la natte avec le nouveau venu, l'entendre me raconter ses aventures amoureuses qui se terminaient évidemment par sa victoire et la reddition de la dulcinée quand ce n'était pas tonton Mompéro qui grommelait et nous imposait le silence. Grand Poupy baissait la voix tandis que mon oncle tempêtait depuis son lit :

– Poupy, je t'entends, tu m'empêches de fermer l'œil ! Si tu ne te tais pas je vais réveiller la mère du petit et tu t'expliqueras avec elle ! Depuis que tu es dans cette maison tu n'arrêtes pas de lui bourrer le crâne avec tes mensonges ! Qui a déjà vu ces filles que tu te targues d'avoir draguées ?

Et là, Grand Poupy me chuchotait à l'oreille :

– Dormons, je te raconterai la suite demain, l'oncle Mompéro ne sait pas qui est Grand Poupy le tombeur de ces dames...

Les jours où nous n'avions pas classe, il me proposait une balade dans le quartier :

– Tu verras comment on aborde une fille, je vais te montrer l'exemple ! Dès que j'apercevrai une fille, j'irai vers elle, je lui parlerai. Il y a un signe qui ne trompe pas : si je pose ma main sur son épaule droite et qu'elle ne l'enlève pas, c'est que c'est dans la poche...

On se tenait debout à une intersection située à deux cents mètres de chez nous, un endroit stratégique d'où nous voyions défiler la plupart des filles du quartier Voungou. Elles se rendaient au marché, certaines vêtues de pagnes multicolores, d'autres de pantalons moulants avec des hauts à la limite de l'indécence. Lorsqu'une d'elles enthousiasmait le cousin de ma mère, celui-ci redressait le col de sa chemise, passait une main sur sa chevelure afro et s'aspergeait vite de parfum sous les aisselles, derrière les oreilles, et même dans la bouche :

– Ne bouge pas d'ici, j'arrive !

Il fonçait vers la fille, imitant à la lisière de la caricature la démarche de l'acteur italien Aldo Maccione qu'il avait vu dans *L'Aventure c'est l'aventure*.

De loin, j'apercevais Grand Poupy, volubile, en train de rehausser son pantalon, d'exhiber son plus large sourire et de poser enfin une main sur l'épaule droite

130

de la fille. Il se retournait vers moi et me faisait un clin d'œil. Comme sa conquête ne dégageait pas la main, je me disais que Grand Poupy avait raison, qu'il était un as et que sa technique était infaillible. Que se serait-il passé si la demoiselle avait ôté sa main ? Je ne doutais pas de son habileté à improviser une riposte. Il était peut-être déjà tombé sur de plus laborieuses et savait, rien que par son flair, celles sur qui il pouvait lancer la bataille avec la certitude de la remporter. Donc, me disais-je, il s'abstenait de s'aventurer lorsqu'il pressentait qu'il irait droit au mur. Pourquoi par exemple se tournait-il plutôt vers une laide pendant qu'une très belle passait à quelques centimètres de nous et nous gratifiait d'un sourire des plus provocateurs ? Si par hasard je me risquais à l'interroger à ce sujet, il prenait un air de vieux sage et me répondait :

– Le sourire ne suffit pas, il faut attendre qu'elle se touche les cheveux, et surtout qu'elle regarde par terre. Est-ce que c'était le cas de cette belle qui est passée il y a quelques minutes ?

– Non...

– Eh bien, voilà pourquoi je n'ai pas gaspillé mon énergie ! Sache que les belles ne s'intéressent qu'aux garçons qui ne les voient pas. Elles veulent être vues, et elles font tout pour ça. D'ailleurs, si tu croises deux filles ensemble, je veux dire une laide et une belle, commence par attaquer la laide, et tu verras que la belle te draguera d'elle-même le lendemain, juste pour défier l'autre. C'est ce que j'appelle la technique du billard : pour atteindre une boule et l'envoyer dans le trou il faut frapper une autre, et par bonheur tu peux faire d'une pierre deux coups car les deux boules pourraient finir dans le même trou ou dans deux trous différents ! Mais pour ça il faut de l'expérience, et toi tu es encore un imberbe...

– Et si les deux filles sont belles on frappe sur quelle boule ?

– Impossible ! Il y aura forcément une des deux qui sera plus belle, l'égalité n'existe pas dans la beauté, de même que dans la laideur !

Parfois, dans son dos, j'ouvrais son calepin dans lequel il notait les noms des filles dont certains étaient précédés de la mention : « À mijoter ».

Intrigué, je me jetai à l'eau un soir :

– Ça veut dire quoi « À mijoter » ?

Grand Poupy sursauta, le regard traversé par une profonde déception :

– Depuis quand tu fouilles dans mes affaires ?...

Il avait haussé le ton, et au moment où je sentais des larmes qui me brouillaient les yeux, il prit une voix douce pour me consoler :

– Ça ne sert à rien de pleurnicher... Ce qui est fait est fait. À l'avenir ne te comporte plus de cette façon. Je vais t'expliquer ce que veut dire « À mijoter »...

Il sortit le calepin de son cartable et l'ouvrit :

– Sur la page de gauche je consigne les noms des filles avec qui j'ai déjà eu une histoire, et la page de droite c'est pour celles sur qui je travaille encore. Parmi elles, il y a des capricieuses que j'ai abordées, je les ai embrassées sur la bouche, mais elles se la jouent, ne veulent pas que j'aille plus loin. Eh bien, je fais semblant de ne plus m'intéresser à elles, de ne plus avoir de temps à leur accorder, je les mets à mijoter comme un plat qu'on fait cuire à petit feu dans une cocotte. Et ça finit par payer parce qu'à la fin, ce sont ces filles qui courent après moi ! Et là, c'est moi qui deviens le maître du calendrier !

Je n'avais pas été loyal avec le cousin de ma mère puisque je continuais à lire son calepin à son insu. Je découvrais qu'il ne reportait pas que les noms de ses dulcinées. Il écrivait également ses souvenirs de Sibiti, le coin d'où il était originaire. Je me rappelle ces longs passages, sans une seule rature, dans lesquels il évoquait le destin d'un certain Chelos à qui ces écrits étaient adressés. Ils commençaient par la même formule :

Mon Cher et grand ami, Cher Chelos

Prenant à témoin la lune, je te raconte une nouvelle histoire de mon petit coin, Sibiti...

Je me demandais alors si ce Chelos existait ou n'était qu'un personnage né de son imagination facétieuse. Grand Poupy écrivait la nuit lorsque tout le monde dormait. Il allumait une bougie, ouvrait un cahier d'écolier, s'emparait d'un stylo à bille et noircissait les pages vierges à une vitesse vertigineuse. Je découvrais des histoires croustillantes, notamment celle d'une femme, Massika, et de son amant Bosco. Massika avait rassuré Bosco : son époux était en déplacement pour assister aux funérailles qui se déroulaient dans un village voisin. Il ne reviendrait que le lendemain en fin de matinée. Et donc, le soir, Bosco débarqua dans le foyer, s'installa pour manger avec Massika. Les deux tourtereaux se saoulaient au vin de palme et ricanaient comme des hyènes. Au milieu de la nuit ils disparurent dans la chambre et entamèrent des ébats interrompus tout à coup par quelqu'un qui frappait avec insistance à la porte. Massika ne voyait pas qui cela pouvait bien être à une heure aussi avancée de la nuit. Il fallait pourtant aller ouvrir ou alors ne rien faire jusqu'à ce que ce visiteur nocturne reparte. Or celui-ci frappait de plus belle, et lorsqu'il hurla le nom de Massika, l'épouse comprit que c'était son homme qui était là.

– Viens m'ouvrir, je ne retrouve pas ma clé !

– Tu n'es pas parti à la veillée ?

– Je t'expliquerai plus tard, ouvre d'abord cette porte.

Bosco eut juste le temps de se glisser sous le lit au moment où la porte s'ouvrait et que le propriétaire des lieux déposait son sac de voyage au salon. L'homme se plaignait d'avoir mal aux pieds et demanda à son épouse de lui faire bouillir de l'eau. Lorsqu'elle vint déposer un seau fumant devant son mari, celui-ci le souleva sans un mot, s'infiltra avec le récipient dans la chambre et déversa le contenu sous le lit. Il y eut d'abord un silence, puis un hurlement déchira la nuit. Bosco, nu tel un ver de terre, jaillit de sa cache, bouscula le mari, réussit à gagner le salon et à foncer dehors suivi de la femme adultère. Les deux se volatilisèrent dans les ténèbres pendant qu'au loin on entendait des aboiements de chiens qui devaient se payer la tête de ces humains en costume d'Adam et Ève...

Grand Poupy rêvait en réalité d'être un écrivain.

*

Il est là, Grand Poupy, et nous nous embrassons. Je vois derrière lui une femme dont le visage me dit quelque chose. Je lui tends une main hésitante, ce qui choque presque le cousin de ma mère :

– Tu lui donnes la main ? Tu ne l'embrasses pas ? C'est quoi ces manières ? Tu ne la reconnais pas ?

Je la regarde une fois de plus. La femme me sourit. Je lis sur son visage une déception. Elle a fait le déplacement jusqu'à la parcelle de ma mère où nous nous étions fixé rendez-vous avec Grand Poupy, rien que pour me voir. En réalité c'est le cousin de ma mère qui avait insisté puisque lors d'une de nos réunions familiales elle avait été empêchée pour une histoire de garde d'enfants.

– Embrasse-la, c'est Alphonsine !

Je sursaute en entendant ce prénom. Les souvenirs reviennent maintenant à la chaîne et je mesure l'ampleur de ma maladresse devant un Grand Poupy qui exhibe son sourire le plus moqueur et Alphonsine dont le visage s'illumine. Je la revois à l'époque en train de faire les tresses de ma mère. J'avais alors honte de sortir de cette cabane parce que j'étais amoureux d'elle. Grand Poupy me prodiguait des conseils, m'incitait à me jeter à l'eau, m'écrivait des choses à lui dire lorsque je serais en face d'elle. Alphonsine me paralysait à tel point que devant elle je perdais mes moyens, balbutiais. Elle aussi, perturbée, préférait détaler lorsque j'arrivais enfin à mettre en pratique les consignes de Grand Poupy en posant ma main sur son épaule. Je lui envoyais des poèmes, des lettres revues et corrigées par lui et qui demeuraient néanmoins sans suite. Dans ces correspondances enflammées et à sens unique je décrivais son regard à la fois moiré et humide, sa peau très claire dont on disait que c'était de l'argile pétri par un archange qui s'était penché sur son berceau à l'insu de ses parents. Ces écrits lui étaient remis en mains propres par le cousin de ma mère. Du moins c'était ce qu'il me jurait lorsqu'il revenait, le sourire aux lèvres, et raillait ma couardise. Il prétendait qu'Alphonsine était prête depuis longtemps et que je devais hâter le pas sinon un larron viendrait troubler le jeu.

– Tu n'auras plus que tes yeux pour pleurer ! me prévenait-il.

Je n'allais pas plus vite qu'une tortue dans cette relation que je percevais comme la raison de mes tourments pendant mon adolescence. Je n'ai pas le souvenir de m'être mis en face d'Alphonsine plus d'une dizaine de minutes et d'avoir tenu des propos cohérents. À l'approche de la fin de l'adolescence je vivais à Brazzaville, elle était restée à Pointe-Noire. Chacun de nous avait perdu les traces de l'autre, résigné dans ce rapport qui allait demeurer au stade platonique, sans même un seul petit baiser.

Et la voilà aujourd'hui devant moi en grande dame, avec deux enfants qui se tiennent droit derrière elle. Grand Poupy a un sourire malicieux. N'y tenant plus, il éclate de rire :

— Mon petit, Alphonsine est maintenant un membre de la famille, j'ai rattrapé le tir : je l'ai épousée et nous avons eu des enfants. Ce sont donc tes neveux, tu as le devoir de t'occuper d'eux comme s'ils étaient tes propres enfants. Nous habitons à M'Paka, dans la périphérie de la ville. Une de nos filles, l'aînée, poursuit ses études au Maroc...

J'éclate à mon tour de rire avant de lui lancer :

— Tu as été bien malin, Grand Poupy ! En fait tu disais me conseiller, mais tu prêchais pour ta propre Église !

Alphonsine ne soutient pas mon regard.

— Dis donc, Grand Poupy, Alphonsine regarde le sol et se touche les cheveux, qu'est-ce que je devrais en conclure ?

J'ai droit à une autre rigolade du cousin de ma mère :

— Petit filou ! Tu n'as pas oublié ces choses-là, hein ?

Alors qu'on se dirige vers le château de ma mère, je lui demande :

— Qu'est-ce qu'il est devenu l'ami Chelos ? Tu sais, si tu as encore ces manuscrits, je peux t'aider à trouver un éditeur en France et...

— Laisse tomber, mon petit, je n'ai pas dans mon ventre ce ver solitaire qu'ont les vrais écrivains et qui les ronge quotidiennement. C'est difficile d'écrire, mais encore plus difficile de savoir qu'on ne sera jamais un écrivain, parce qu'on vit avec l'idée qu'on aurait pu laisser quelque chose de grandiose sur cette terre. Je me réjouis de lire ce que tu publies, tu es devenu ce que j'aurais voulu être : un affabulateur public. Je ne sais pas ce que tu commettras après notre rencontre, mais avec toi je m'attends au pire car tu ne m'avais pas raté dans ton roman *Black Bazar*... Et les jeunes qui l'ont lu ici croient encore que je peux leur être utile en matière de drague !...

Mon oncle

Tonton Mompéro est considéré comme le « doyen » de la famille depuis la disparition de ma mère. Il prend son rôle au sérieux, et personne n'oserait lui contester ce statut. Du seuil de la porte de la maison en dur – celle dont maman Pauline avait entamé les travaux poursuivis et achevés par mes cousins –, il surveille les allées et venues dans la cour. Il n'est pas surprenant de l'entendre élever la voix, demander le silence ou tancer les gamins qui se chamaillent. Dès qu'une voiture passe devant la parcelle, il bondit de son fauteuil, vérifie que les tout-petits sont en sécurité. De même, le moindre attroupement bruyant éveille sa curiosité, l'oblige à rompre sa torpeur et à intervenir s'il le faut. Je m'en suis rendu compte aujourd'hui quand je discutais avec mon cousin Kihouari : il s'est avancé à pas feutrés, s'est pointé devant la porte avant de repartir dans le salon et d'attendre que je vienne le voir dès que j'aurais fini avec les autres…

Chaque fois qu'un étranger entre dans notre concession il appréhende l'annonce d'une mauvaise nouvelle et pose brutalement la même question :

– Qui est mort encore ?

Le visiteur perçoit son air inquiet et désespéré, certainement à cause de ses sœurs et de ses frères qu'il a

vus partir tout au long de ces vingt dernières années :
tonton Albert, tante Sabine, maman Pauline, tante Dorothée et tonton René.

Je suis en face de lui, il sait que ce n'est pas pour lui
apprendre un malheur. Il a donc un sourire circonspect
qui me bouleverse, avec ce visage à peine zébré par
des rides d'expression entre les sourcils et le front. Je
le soupçonne de s'être coupé les cheveux pour être
« propre » devant moi. Même ses chaussures noires
sont impeccables, comme s'il ne touchait pas le sol
en se déplaçant. Il arbore une belle chemise blanche
à grosses rayures beiges.

Ma mère n'a pas eu la chance d'avoir des cheveux
gris. C'est à travers mon oncle que je devine à peu
près ce qu'aurait été son cuir chevelu si elle avait
dépassé la soixantaine comme lui. Je suis certain qu'elle
n'aurait pas été une vieille dame assise à longueur
de journée devant sa demeure. Elle serait en mouvement et continuerait à vendre ses arachides au Grand
Marché où ce commerce est tenu par beaucoup de
femmes du troisième âge, certaines somnolant derrière
leur étal. Maman Pauline me verrait arriver dans cette
parcelle, elle exulterait, se jetterait sur moi, exhiberait
un sourire qui me ferait croire qu'elle prend le dessus
sur le temps. C'est l'impression que tonton Mompéro
souhaite que j'aie de lui ce jour. Il ne me dira rien sur
son état de santé qui se dégrade, sur ce qu'il a enduré
ces vingt-trois dernières années pendant lesquelles nous
ne nous sommes pas donné de nouvelles. Or Grand
Poupy m'avait déjà soufflé que notre oncle souffrait,
qu'il avait subi une opération pour une appendicite,
qu'il suffirait que je tourne le dos pour qu'il prenne
encore de l'âge et affronte les cisailles de son affection

mal soignée. Incrédule, j'avais soutenu que je trouvais mon oncle en bonne santé. Grand Poupy avait aussitôt pris un air sombre :

– Quand il a appris que tu revenais à Pointe-Noire, il a mis sa maladie de côté pour faire bonne figure. Il est comme ta mère qui, pendant son hospitalisation à Adolphe-Sicé, nous avait sommé de ne rien te dire jusqu'à sa mort. Tonton Mompéro n'est pas si en forme que tu le crois, il ne te le dira pas, mais ne lui pose pas la question sinon il ne nous le pardonnera pas…

Mon oncle commence à me parler, la tête levée vers le plafond, ce qui, je m'en souviens encore, signifie qu'il ne faut pas que je l'interrompe :

– Je suis resté le même homme, celui qui te prenait par la main la nuit lorsque tu étais habité par l'épouvante et t'imaginais que les ténèbres étaient peuplées de revenants anthropophages qui surgissaient des tombes du cimetière Mont-Kamba pour s'attaquer aux enfants. Ta mère n'est plus là, elle vit cependant à travers moi et m'a laissé suffisamment de souffle dans les poumons pour t'attendre le temps qu'il faudra. Ton rendez-vous avec elle n'a pas eu lieu ; le nôtre, Dieu l'a voulu, s'est fait. Ce n'est pas un hasard, tu n'as pas à te reprocher de n'avoir pas été présent lorsque nous pleurions ma sœur. Je devinais tes larmes là où tu étais, parce que rien de ce qui se passe dans ton corps et dans ton esprit ne m'est étranger. En réalité, pour moi, tu n'es pas mon neveu, tu es mon propre fils, l'enfant que je n'ai pas eu, l'enfant que je n'aurai plus car, plus je vieillis, plus je me rends compte que je ne suis venu sur cette terre que pour protéger celui auquel ma sœur tenait plus que tout : toi. Je n'ai pas souhaité avoir de descendance de peur de trop m'éloigner de toi, de peur que tu ne me considères que comme un oncle et non un vrai père. Je ne veux pas être ton oncle, je suis ton père ! Penses-tu que c'est un hasard si ton père biologique t'a abandonné ? Maintenant il faut que tu te dises que tu as eu du bol d'avoir trois hommes dans ta vie. Le premier a failli à sa mission de père et s'est barré juste avant ta naissance, tu peux le rayer de tes pensées, tu l'as déjà fait, et c'est mieux ainsi, les crapules ne méritent pas de respect puisqu'elles ne savent pas le transmettre. Le deuxième – le beau-frère Roger – était un être généreux qui t'a recueilli, toi et ta mère. Tu dois le vénérer, afin que les enfants adoptifs du monde entier ne se disent pas que leur vie est vouée à l'échec à cause de l'imbécillité de leur géniteur. Moi, je suis le troisième homme, celui qui clôt la trinité de ton destin. Lorsque je te parle, n'entends-tu pas cet accent mélodieux de ta mère ? Tu pourras t'éloigner de moi comme jusqu'à présent, moi je serai là, parfois assis au bord du temps, le plus souvent déambulant sur les rives de la patience malgré la violence des vents. Je soufflerai encore de toutes mes forces sur les braises de la durée dans l'espoir de ne quitter cette terre qu'une fois que tu auras pris le relais de cette famille éclatée et qui te cache ses divisions internes. Regarde-les, ces gens ! Ils font semblant d'afficher une union, quand on gratte un peu on découvre ces inimitiés contre lesquelles je me bats. Untel reproche à un autre d'avoir précipité la mort de son père ou de sa mère pendant que d'autres se disputent les parcelles laissées par mon frère Albert Moukila depuis les années 1970 ! Est-ce une famille, ça ? Ton oncle René est mort de ça, à cause de la cupidité des autres, même si je peux lui reprocher de n'avoir pas montré l'exemple puisqu'il s'est emparé de la maison qui serait revenue à tes cousins

Gilbert et Bienvenüe ! Je lui pardonne cette faute tout en regrettant aujourd'hui que la maison en question ait été vendue en cachette par le fils de ma grande sœur Sabine Bouanga sans qu'un seul centime soit reversé aux enfants d'Albert ! Maintenant j'attends de toi que tu fasses un vrai nettoyage à l'eau de Javel dans cette famille. Ne sois pas trop gentil parce qu'ils prendraient cela pour de la faiblesse, et celle-ci te coûterait la vie. Moi je suis épuisé, très épuisé, j'en ai assez de lutter tout seul. Tu es venu, tu m'as trouvé au même endroit où tu m'avais quitté. Ça ne sera pas le cas la prochaine fois, tu le sais. Moi aussi je partirai, j'irai retrouver ma sœur Pauline…

Dans son silence, je sens qu'il veut me raconter les derniers jours de ma mère et cherche ses mots, ou plutôt par où commencer. Il a vu mon visage s'assombrir et se retient. On n'évoque donc pas ce chapitre auquel nous pensons tous les deux.

Nous quittons la maison en dur pour nous orienter vers le château de ma mère. Devant la bicoque, il se retourne et me montre ses mains :

– Tu te souviens que ce sont ces mains qui ont construit cette baraque ? Tu m'avais un peu aidé, tu voulais tellement être utile ! La maison n'est plus pareille, il ne reste plus qu'une moitié, j'ai été obligé de découper l'autre partie à la mort de ta mère. Je ne supportais plus de voir la pièce dans laquelle elle dormait…

Il caresse avec attention les planches :

– Elles me parlent la nuit, ces planches… Est-ce que tu sais que c'est avec les mêmes qu'on fabrique les cercueils ?

J'acquiesce de la tête. Il avait été un grand menuisier, et beaucoup de maisons de la ville lui doivent leur charpente. Je n'appréciais pas trop lorsqu'il fabriquait des cercueils et que les familles endeuillées attendaient devant son atelier.

Je touche à mon tour les mêmes planches. Satisfait de mon geste, il ajoute aussitôt :

— Touche-les, elles sont heureuses de te revoir. Elles savent qui nous sommes, elles ont été là à l'origine. Lorsqu'elles geignent, j'ai le sentiment que ta mère souffre là-haut et attend que je vienne à ses côtés…

Je ne l'interromps toujours pas dans ce qui me semble comme des pensées qu'il a gardées depuis longtemps en attendant de me les souffler.

— Pourquoi la mort s'est tant acharnée sur nous, hein ? poursuit-il. Peut-être que cette parcelle a été maudite à cause de mon comportement à l'égard de Miguel. Oui, je regrette nuit et jour le calvaire que j'ai fait subir à ce chien…

L'image de Miguel traverse mes pensées. Je l'entends aboyer, puis pleurnicher de soif et de famine. L'animal qui était le lien entre mes sœurs imaginaires et moi avait trouvé la mort au pied du manguier qui trônait alors au milieu de la parcelle. Les voisins avaient-ils entendu ses geignements désespérés ? Et cet arbre, témoin de la scène, pourquoi n'avait-il pas délivré le pauvre canidé ? Maman Pauline était folle de Miguel, un cadeau d'une de ses amies qui, en réalité, se débarrassait de sa flopée de chiots. On rapportait qu'elle possédait tellement de chiens qu'elle en jetait parfois dans la rivière Tchinouka. C'est moi qui avais attribué ce nom de Miguel à notre nouvel arrivant qui grandissait au rythme du lait que je lui versais dans un bol. Pour moi, le nourrir était un jeu, et l'animal me pourchassait à longueur de journée pour sa ration. Il m'écoutait les oreilles dressées, agitait sa queue tel un essuie-glace pour me répondre. C'est avec lui que j'avais appris à compter l'âge des chiens. En

144

un an il était devenu mon aîné et comptait presque le double de mon âge. J'étais fier de coller une pancarte *Attention chien méchant* à l'entrée de notre parcelle. Je me promenais avec lui dans les ruelles du quartier Voungou, assuré qu'il me protégerait en toutes circonstances. Hélas, lorsque certains gamins de mon âge projetaient des pierres vers nous, Miguel venait plutôt s'abriter derrière moi au lieu d'aller les mordre comme il l'aurait fait si nous étions à la maison et que quelqu'un était venu nous agresser. Je compris qu'en général la plupart des chiens n'étaient courageux que dans le périmètre de l'habitation de leur maître. Combien de fois n'avais-je pas vu le nôtre, apeuré à l'extérieur, se ruer tel un forcené dans la parcelle la queue entre les pattes et aboyer à sa guise devant la maison au point de nous casser les tympans ? Je l'aimais malgré cela, et il me rendait cet amour lorsqu'il léchait mes petites mains ou se mettait debout sur deux pattes. Ce bonheur allait s'interrompre le jour où ma mère s'absenta pour un mois et m'envoya pour la première fois en vacances à Brazzaville, chez son frère militaire tonton Jean-Marie Moulounda. Papa Roger, pendant ce temps, résidait chez maman Martine. Presque toute la maison était vide, y compris Grand Poupy qui se trouvait à Sibiti et les autres tantes au village Louboulou pour le travail des champs. Il ne restait plus que tonton Mompéro à qui ma mère avait rappelé de s'occuper de Miguel, de le faire manger trois fois par jour et de le promener afin qu'il fasse ses besoins à l'extérieur de la parcelle. Mon oncle le fit pendant deux ou trois jours. Puis lui-même quitta la ville pour un chantier à Dolisie, dans la troisième ville du pays, à plus de trois cents kilomètres de Pointe-Noire où l'on construisait une école primaire. Au lieu de laisser le chien errer dans la parcelle, depuis quelques jours il l'attachait à l'aide d'une corde au pied du manguier où il venait le ravitailler comme maman Pauline le lui avait demandé. Le jour de son départ pour Dolisie, mon oncle oublia Miguel dans cette position de captivité. Lorsqu'il revint, quelques heures avant le retour de sa sœur, la pauvre bête n'était plus de ce monde. Papa Roger et maman Pauline crièrent au crime. On pensa me cacher la disparition de Miguel. Mais on savait qu'en revenant de Brazzaville le lendemain, la première question que je poserais serait : « Où est Miguel ? »

Tonton Mompéro proposa d'acheter un autre chien. Ma mère s'y opposa. Elle ne souhaitait pas souiller la mémoire de Miguel et ajouta que s'ils avaient été incapables de s'occuper du premier chien, rien ne prouvait qu'ils s'occuperaient mieux du deuxième.

À mon retour on me fit comprendre que Miguel avait succombé à une crise cardiaque. Naïvement, je répondis :

— Les chiens ne meurent pas de crise cardiaque parce que dans leur cœur ils n'ont pas trop de problèmes comme les êtres humains.

Tonton Mompéro me prit à part et m'avoua la vérité :

— Mon petit, tu avais raison, les chiens ne meurent pas de crise cardiaque… Miguel est mort à cause de ma bêtise. Je suis un imbécile, je l'accepte. Quand je suis parti à Dolisie j'avais carrément oublié que nous avions un chien et que je l'avais attaché. Si au moins je l'avais laissé en liberté, il aurait survécu. Mais c'est ma faute, je te demande de ne pas m'en vouloir. Ta mère ne souhaite pas que j'achète un autre chien, si toi tu es d'accord, je l'achète quand même et…

— N'achète pas un autre chien…

— Et pourquoi ?

— Parce que nous n'avons pas acheté Miguel… On

nous l'a donné. Et puis, est-ce que quand quelqu'un meurt on achète une autre personne pour le remplacer ?

– Je peux aller voir la femme qui a offert Miguel à ta maman, et si leur chienne a encore fait des petits on aura au moins un chiot de la même famille que Miguel et…

– Non, c'est Miguel que j'aimais, je ne veux plus avoir de chien dans ma vie, comme ça quand je penserai à un chien, je ne penserai qu'à lui…

Tonton Mompéro arrange une planche qui se décolle de la cabane et se retourne vers moi :

– Oui, mon petit, je ne cesse de revoir Miguel comme je revois ta mère. Lors de la première réunion familiale je ne pouvais pas en parler devant tout le monde. Aujourd'hui nous sommes tous les deux l'un en face de l'autre, je te demande pardon, aide-moi à effacer cette malédiction, je vais donc m'agenouiller devant toi…

Il pose un genou par terre puis, avant qu'il pose le second, je le retiens :

– Non tonton, ne fais pas ça, il n'y a pas de malédiction dans cette parcelle…

– Qu'est-ce que tu en sais ? Les animaux sont nos parents, ils sont nos doubles, et tu l'as écrit dans ton livre sur le porc-épic…

– Je n'ai fait que reporter ce que maman me racontait. Il y a aussi des doubles gentils, Miguel faisait partie d'eux, il t'a pardonné cet acte…

Un sourire se dessine sur son visage :

– Tu me pardonnes donc toi aussi ?

– Je ne t'ai jamais gardé une dent pour cette histoire, tonton !

Il essuie ses yeux avec le revers de sa main droite. Des larmes qui coulent sans doute sous l'effet de cette épine que je viens de lui enlever du pied.

On regagne la maison principale.

C'est ma troisième visite ici, mais cette fois-ci il n'y a pas de réunion familiale. Avant que je quitte la parcelle, mon oncle prend un air grave :

— Tu rentres déjà là où les Blancs te logent au centre-ville ? Mon frère Matété t'a cherché là-bas hier, on lui a dit que tu sortais beaucoup. C'est très important, il veut absolument te voir en tête à tête. Accepte tout ce qu'il te demandera, on en a parlé lui et moi… Tu me laisses au moins cinq mille francs CFA ? C'est pour acheter des petits trucs comme les rasoirs, la pâte dentifrice, le savon…

Je lui souris en sortant de ma poche les billets.

Rencontres du troisième type

Quelqu'un frappe à la porte, j'ouvre et tombe sur tonton Matété. Il est venu avec un petit régime de bananes qu'il dépose au milieu de la pièce. Je le prends et le range dans la cuisine pendant qu'il inspecte les lieux sans cacher son émerveillement.

– C'est les Blancs qui payent ton séjour dans cette maison ?

Je lui explique que l'Institut français m'a invité pour quelques jours de conférences et que j'ai décidé de prolonger le séjour dans la ville pour revoir toute la famille et écrire un livre.

– Et tu payes combien pour vivre là-dedans ? réplique-t-il en se dirigeant vers le balcon.

– C'est un appartement qu'ils mettent à la disposition des écrivains et des artistes, je ne paye rien.

– Hier je suis venu, c'était difficile de te rencontrer, j'ai fait au moins trois tours ! Tu es bien ici, n'est-ce pas ?

Sans attendre ma réponse, il montre du doigt le bâtiment d'en face :

– Dis donc, même de nuit on aperçoit très bien l'hôpital Adolphe-Sicé d'ici ! Tu as rendu visite à Bien-venüe qui est hospitalisée là-dedans ?

– Non…

– Je te comprends, toi aussi tu as très peur de cette chambre 1, c'est ça ? Ceux qui y entrent, même pour voir un malade, finissent un jour par y retourner eux-mêmes et y mourir...

Dans la nuit, cet hôpital ressemble à un vaste manoir hanté, avec un éclairage faible et disparate provenant de quelques fenêtres encore ouvertes. Tonton Matété devient soudain silencieux. Il passe une main sur son crâne rasé de près et qui luit avec la clarté de la lune à moitié rescapée des nuages sombres couvrant la ville. Je m'imagine ce qu'il se dit et jusqu'où ses pensées vont le conduire. Il a les sourcils tout gris et, à certains moments, je me demande s'il n'est pas plus âgé que tonton Mompéro avec qui il s'entend très bien et qui m'a indirectement annoncé cette visite sans que je sois certain qu'elle aurait lieu le même jour, en soirée. Les deux sont les enfants de grand-père Grégoire Moukila, de mères différentes.

Je devine que tonton Matété me revoit tout gamin dans le village de Louboulou. J'avais une dizaine d'années et allais en brousse pour la première fois. Dès le deuxième jour de mon arrivée il décida de m'emmener avec lui à la chasse malgré l'hostilité de ma mère, et surtout l'indignation de grand-mère N'Soko. C'est grand-père Grégoire Moukila qui intervint pour rassurer tout le monde :

– Laissez-les partir, rien ne leur arrivera, mes esprits veilleront sur eux. Et puis, il est temps que ce petit aille là-bas, après il sera trop tard...

Je n'ai pas oublié cette escapade nocturne dont je revins, porté sur les épaules de mon oncle, les jambes mitraillées d'écorchures et des piqûres d'insectes sur le visage. Tonton Matété emprunta le fusil de grand-père et nous partîmes vers le milieu de la nuit. Bien avant ce départ nous nous étions badigeonné la figure de cendres, une technique destinée, selon lui, à déjouer la vigilance des bêtes sauvages qui nous prendraient alors pour leurs compères. Nous avions ensuite attaché autour de nos chevilles des herbes dont j'ignore jusqu'aujourd'hui l'espèce pour chasser les serpents que nous pourrions croiser en route. Nous suivions un sentier incurvé que mon oncle connaissait comme sa poche jusqu'à atteindre, plusieurs kilomètres plus loin, une rivière qui roucoulait entre les rochers. Au bord de ce cours d'eau il m'intima l'ordre de ne plus rien dire, de ne même pas lui chuchoter quelque chose ou écraser un moustique qui me piquerait. À une centaine de mètres de nous s'abreuvaient une biche et un cerf. J'attendais que mon oncle prenne position et abatte au moins l'une des deux bêtes. Il se mit plutôt à genoux et psalmodia des paroles inintelligibles. Le couple de ruminants nous observait de loin, sans être inquiété par notre présence. La prière de tonton Matété m'apparut interminable, rythmée de noms des membres de la famille, comme lorsque nous étions en classe et que le maître devait s'assurer que tout le monde était présent avant d'entamer le cours. Sauf que personne ne répondait à l'appel de mon oncle. Les deux cervidés écoutaient attentivement sa voix monocorde et acquiesçaient de temps à autre d'un mouvement de tête de haut en bas. À la fin de la prière, les mammifères bramèrent en chœur puis s'éloignèrent petit à petit de la rivière pour enfin disparaître dans la brousse profonde. Le silence qui s'ensuivit me glaça. Mon oncle avait deviné mes interrogations et les devança :

– Je t'expliquerai demain, pour l'instant suis-moi, il faut qu'on trouve quelque chose à ramener à la maison. Nous pouvons traverser la rivière puisqu'on nous a donné la permission…

Nous nous enfoncions de plus en plus dans la forêt et, lorsque je me retournai, tonton Matété me chuchota :

— Dans la brousse on ne regarde jamais derrière soi…

— On va se perdre, on ne saura plus comment retourner chez nous, m'inquiétai-je.

— Tu as déjà vu quelqu'un se perdre dans sa propre maison ?

— Et si la maison est très grande comme les châteaux des Blancs ?

— Eh bien, la différence c'est qu'ici c'est notre château, et nous le connaissons parce qu'il n'appartient pas qu'à une famille comme chez les Blancs, mais à tous les villageois…

Débouchant dans une clairière, nous avions perçu un bruit provenant du faîte d'un palmier vers lequel mon oncle orienta la lumière de la torche. C'était un couple d'écureuils, l'un sur l'autre et affairé dans une parade amoureuse dont l'agitation secouait les feuilles de l'arbre. La détonation qui s'échappa du fusil de mon oncle me boucha les tympans. Les deux bêtes avaient été abattues à l'aide d'une seule balle. Tonton Matété les ramassa au pied du palmier et les rangea dans la gibecière.

Un peu plus loin, un pangolin était recroquevillé sur lui-même en plein milieu du sentier. Dès qu'il fut ébloui par la lumière de la torche, et malgré la médiocrité de la vue dont souffre son espèce, il releva tout de même son museau, essaya de détaler. Trop tard : mon oncle avait déjà pointé son arme et appuyé sur la gâchette. La balle éclata le crâne du mammifère.

— Bon, on peut rentrer, ça suffit pour ce soir, décida-t-il.

Le chemin du retour me parut long. J'avais l'impression que les mauvaises herbes lacéraient mes jambes et épargnaient celles de mon oncle. Je ne tenais plus debout et me plaignais maintenant des moustiques et autres insectes qui échouaient dans mes yeux. Certaines de ces bestioles clignotaient, fonçaient vers moi à une telle vitesse que je les prenais pour des étoiles filantes rescapées du ciel. Tonton Matété me conseilla de passer devant. Après quelques mètres il s'aperçut que je ralentissais notre allure. À ce train-là, nous arriverions au village dans cinq ou six heures. Il me charria d'abord, me traitant d'enfant de la ville, puis me souleva au-dessus de sa tête pendant que j'intercalais mes jambes autour de son cou. Mon pied droit frottait contre la gibecière bien garnie qu'il portait en bandoulière. Même dans cette position plutôt confortable je devais parfois me courber afin d'éviter les branches dépassant des arbres et les bestioles lumineuses qui, vraisemblablement, étaient averties que je n'étais qu'un gamin de la ville pour me harceler de la sorte.

Arrivé au village, je ne dormis pas le reste de la nuit. Je suais tandis que les images de la biche et du cerf me hantaient. Je les voyais, le mâle avec une tête humaine surmontée de cornes ramifiées dont les pointes effleuraient les nuages, la femelle un peu à l'écart. Les deux parlaient notre langue et prononçaient mon nom. Le couple avait maintenant un faon qui le suivait, et la tête de ce petit animal ressemblait à la mienne comme deux gouttes d'eau ! En plus, il ricanait pour un rien devant ses parents qui le laissaient faire.

Je ne tins pas longtemps le lendemain dès l'aube : je courus dans la chambre de mon oncle qui ronflait encore. Il se réveilla en sursaut, ne sembla pas du tout surpris de cette irruption aussi matinale :

— C'est pour la biche et le cerf que tu viens me réveiller ! Tu veux me dire que tu les as vus dans ton rêve ?

— Oui...

– Eh bien, ils te connaissent maintenant ! Ils étaient comment ?

– Avec leur enfant, et l'enfant, il avait ma figure ! En plus il riait comme un idiot alors que moi je ne ris pas comme ça et...

– C'est normal, leur petit était content de te voir car lui et toi vous ne formez qu'un seul corps. Cette biche et ce cerf n'étaient pas des animaux ordinaires. Le mâle est le double de ton grand-père Moukila Grégoire, et la femelle, le double de ta grand-mère, Henriette N'Soko. Si j'avais abattu ces bêtes au cours de notre chasse hier, tes grands-parents seraient des êtres morts au moment où je te parle. Avant d'aller dans cette brousse on doit passer dire bonsoir à ces doubles, c'est eux qui nous permettent de trouver facilement le gibier. Ceux qui n'ont pas respecté ce rite sont toujours revenus bredouilles ou se sont perdus dans la forêt. Disons qu'ils ne se sont pas perdus mais ont été transformés en arbres ou en pierres par les génies de la brousse. Quand tu grandiras, quelle que soit la brousse dans laquelle tu entreras, dis-toi que les esprits y logent, et respecte aussi bien la faune que la flore, y compris les objets qui te paraissent sans intérêt comme un champignon ou un pauvre petit ver de terre qui tente de regagner le bord d'une rivière. Chez nous on ne chasse que les écureuils et les pangolins, c'est ce que nos ancêtres nous donnent comme gibier parce que les autres animaux, sauf si nous recevons message contraire à travers nos rêves, sont les membres de la famille qui sont partis de ce monde mais qui vivent dans l'autre. Mangerais-tu ton père, ta mère ou ton frère ? Je pense que non. Je sais que c'est des choses bizarres pour toi qui es un enfant élevé dans la ville, ce sont pourtant ces réalités qui ont fait de nous ce que nous sommes. Quant à toi, abstiens-toi de manger la viande de biche ou de cerf car, même si tu n'en mourras pas, il y aura quelque de chose de toi qui disparaîtra, et ce quelque chose s'appelle *la chance*, ou plutôt *la bénédiction*...

*

J'ai toussoté derrière tonton Matété qui contemplait encore l'hôpital Adolphe-Sicé. Il s'est retourné et m'a demandé d'un ton grave :

– Mon petit, dis-moi la vérité : est-ce que tu as mangé de la viande de biche ou de cerf ?

– Non !

– Je suis soulagé, neveu, tu m'as donc écouté ! Je m'inquiétais beaucoup à ton sujet, tu ne peux pas t'imaginer !

Nous regagnons le salon. Comme il est arrivé à l'improviste, je n'ai presque rien à lui proposer. Dans la cuisine je trouve trois œufs que je casse et jette dans une poêle. Je détache trois bananes plantains du régime qu'il m'a offert. Pendant que je m'affaire à préparer, je sens sa présence derrière moi.

– Neveu, qu'est-ce que tu fais ?

– Je te prépare quelque chose à manger...

– Non, non, ne fais pas ça... De toute façon moi je ne mange pas d'œufs, et en plus tu ne peux pas me servir des bananes que je t'ai offertes !

Je suis désemparé et lui propose qu'on aille manger vers le quartier Rex. Il décline aussi cette proposition :

– Je ne suis pas venu ici pour ça, neveu. Je voulais simplement m'assurer que tu étais bien, que tu n'avais pas goûté au cerf ou à la biche pendant toutes ces années. C'est moi qui t'ai présenté à ton double animal, ce faon que tu avais vu dans tes rêves alors que tu avais une dizaine d'années. Le petit animal est encore en brousse, et il vivra aussi longtemps que toi, si ce n'est toi qui vivras aussi longtemps que lui...

Il a pris un air tragique qui m'inquiète. Je crois deviner ce qu'il attend de moi.

— Tonton, je sais pourquoi tu es venu : tu veux que j'aille voir ce double animal à Louboulou.

— Non, pas du tout, c'est trop loin, et je suppose que tu n'auras pas le temps avec tout ce que tu as à faire pendant les quelques jours qui te restent ici. Ton double le comprendra, mais tu dois lui donner quelque chose que je me chargerai de lui transmettre quand j'irai là-bas le mois prochain...

— Ah, j'ai compris ! Combien ?

— Neveu, ne me déçois pas, je sais que tu vis dans les pays où on ne parle que d'argent, eh bien sache qu'il n'y a pas que ça qui compte dans ce monde. Ce qui a fait que tu vives jusqu'aujourd'hui n'a pas de prix...

— Qu'est-ce que je pourrais transmettre à un animal que je n'ai vu qu'en rêve quand j'avais dix ans ?

— Quelque chose de toi, quelque chose qui vient de toi...

Il fouille dans sa poche et sort une éprouvette vide, le genre que les médecins utilisent dans les hôpitaux pour prélever du sang.

— Mets tes urines là-dedans, je les garderai dans le congélateur, puis j'irai les déverser au bord de cette rivière de Louboulou où nous étions il y a plus de trente-cinq ans. La biche et le cerf ne sont plus là puisque tes grands-parents sont morts, mais leur petit qui a maintenant ton âge sera au même endroit. Il faut qu'il sente ta présence, tes urines lui suffiront pour qu'il continue à te bénir...

Je disparais dans les toilettes et reviens avec

l'éprouvette remplie. Il sort cette fois-ci de sa poche un sachet et enroule l'objet à l'intérieur.

– C'est parfait, neveu, je vais devoir continuer ma route…

Je lui tends une enveloppe dans laquelle il y a vingt mille francs CFA.

– Non, neveu, c'est pas pour ça que je suis venu te voir.

– Tonton, je t'en prie, prends ça, c'est ton transport pour rentrer…

Il hésite quelques secondes, baisse les yeux et empoche l'enveloppe :

– Merci, neveu.

Dernière semaine

Le pas suspendu de la cigogne

J'écris dans un cahier d'écolier dont j'arrache tantôt les feuilles pour la moindre rature. Comme si le passé était une ligne droite, une onde immobile et insensible à l'impétuosité des vents. Parfois, mécontent d'un paragraphe, je me rue dans la cuisine et fouille dans la petite poubelle afin de retrouver ce que j'ai jeté la veille. Et c'est ce que je garde, écartant sans remords ce qui me satisfaisait quelques minutes avant et que je prenais pour une transposition fidèle de ma pensée, des images que me suscite ce retour au bercail.

Quelques « écrivains en herbe » tels qu'ils se qualifient eux-mêmes ici sont passés me rendre visite à la demande du directeur de l'Institut français qui s'était borné à me dire :

– Ils veulent être des écrivains comme tout bon Congolais qui se respecte, et ils ont des manuscrits à foison. Je n'ai jamais vu ça dans aucun pays dans lequel j'ai travaillé ! Ici tout le monde est poète ! Et ça fait des jours qu'ils font le guet ! Il faut les recevoir et leur dire deux ou trois mots, c'est important pour eux. Ils sont plus d'une douzaine en bas où j'ai organisé un petit endroit. Vous serez tranquilles…

Nous avons discuté pendant plus de deux heures dans

un coin du hall, juste en dessous de mon appartement. Il y en a qui ne juraient que par les poètes Tchicaya U'Tamsi et Maxime Ndebeka. D'autres par les romanciers Henri Lopes, Sony Labou Tansi et Emmanuel Dongala. Ils m'ont lu leurs poèmes et attendaient que je salue leur génie ou que je leur conseille de revoir leur copie. Ils ont été quelque peu déçus lorsque j'ai avancé que je n'avais pas ce pouvoir souverain.

Vers la fin de ces échanges où chacun d'eux essayait de montrer aux autres son travail et de dire combien il mériterait d'être publié – sans compter ceux qui avaient publié à leurs propres frais et qui s'estimaient au-dessus de la mêlée parce que au moins ils avaient une preuve imprimée de leur statut d'écrivain –, un jeune prosateur m'a demandé :

– Pourquoi vous écrivez ?

Comme la fatigue me gagnait, j'ai dit ce qui me passait par la tête à cet instant-là :

– Je ne sais pas pourquoi j'écris, et c'est peut-être pour cela que j'arrache les pages que j'ai déjà noircies et les jette à la poubelle en me disant que de toute façon je n'ai pas le choix, je les rechercherai le lendemain matin dans la corbeille pour les réécrire. Peu importe le temps que cela prendra pour qu'un jour ce livre soit fini.

Ça les a fait rire, moi non. D'autant que ma poubelle est maintenant remplie de pages froissées...

*

Je fais intérieurement le compte : je suis revenu dans cette ville dix-sept ans après la mort de ma mère, sept ans après celle de mon père et vingt-trois ans après mon départ pour la France. Pourtant je n'ai pas vu le temps passer. Je ne suis qu'une cigogne noire dont la durée des pérégrinations dépasse maintenant l'espérance de vie. Je me suis arrêté au bord du ruisseau des origines, le pas suspendu, dans l'espoir d'immobiliser le cours d'une existence agitée par ces myriades de feuilles détachées de l'arbre généalogique.

Même démantibulée, mangée par son extension anarchique, je cherche des raisons d'aimer cette ville. Vieille amante, fidèle à l'instar du chien d'Ulysse, elle me tend ses longs bras avachis, me montre jour après jour la profondeur de ses lésions comme si je pouvais les cautériser d'un coup de baguette magique.

J'ouvre ce matin *L'Envers du soleil*, un recueil de poèmes écrit par le plus ponténégrin des écrivains congolais, Jean-Baptiste Tati-Loutard. Je tombe sur ces vers qui résument mon état d'esprit actuel :

Je traîne à la queue d'une tribu perdue
Comme un animal des savanes hanté
Par le rythme d'un autre troupeau…

Il prend alors envie de se mettre au bord du temps
D'errer par les veines obscures de la terre
Où cheminent, dans l'apaisement de mille souffrances
*   vécues,*
Des pauvres que la mort a couverts d'oubli…

Je suis venu, oiseau migrateur au ramage à moitié éteint, prêt à accepter l'ampleur de la désolation de ma terre et à me poser sur le premier arbre à l'écorce éraflée par les saisons sèches. Peut-être est-ce une exagération, mais le moindre silence m'inquiète, tout bruit m'épouvante, me pousse à m'éloigner de plus en plus de cette rencontre inéluctable. Candide, j'observe les lieux et ne me doute pas qu'ils me considèrent à leur tour avec de gros yeux. Ma silhouette me précède comme pour m'indiquer le chemin à suivre. Dois-je me fier à l'ombre ou à la lumière ? Je compte beaucoup de personnages ensevelis dans les ténèbres tandis que le soleil, tirant profit de mon absence, a consumé les fondements d'une enfance désormais égarée dans les lacis des souvenirs. Une voix me murmure qu'un gamin va naître jadis, avec déjà une dentition ferme et un cuir chevelu touffu et crépu. J'entreprends donc les fouilles avec l'opiniâtreté d'un anthropologue. Mon outil ? Une pioche corrodée par le sel des regrets. Une pioche dont le manche tient grâce au fil de fer de la mémoire. L'obstination m'indique que derrière ces mutations de la cité ponténégrine, quelques vestiges renaîtront de leurs cendres. Or, à force de bêcher les réminiscences, la ville m'apparaît comme le Catoblépas, ce monstre apathique qu'évoque Flaubert dans *La Tentation de Saint-Antoine* et qui, avec le temps, finit par dévorer ses propres pieds. Je prête par conséquent mes pieds à ce paradis d'autrefois. Je sais qu'au bout de ma marche je tomberai sur ces lieux qui peuplaient mon enfance. Parce que Pointe-Noire sommeille toujours d'un seul œil, l'autre laisse couler une larme intarissable, une sorte d'affluent qui s'oriente vers la Côte sauvage…

J'avance avec le poids de l'ingratitude à travers les rues d'une agglomération qui m'a longtemps obsédé. Chaque pierre est une pièce de cette époque où, retenant les bretelles de ma tenue d'écolier, la bouche ouverte, les poings fermés, je courais à me couper le souffle, loin de m'imaginer que l'espace aussi avait des limites, que le temps s'écoulait même quand j'avais les yeux ouverts. Je me souviens que c'est à cette période que je guettais les avions qui traversaient la ville vers des destinations inconnues. Que contenaient ces gros volatiles bruyants qui secouaient les maisons en planches et apeuraient les animaux domestiques et les nourrissons ? Dans chaque avion, me disais-je alors, il y avait forcément une mauvaise nouvelle. Une très mauvaise nouvelle. Je croisais les doigts pour qu'aucun de ces oiseaux de malheur n'atterrisse dans notre ville et que personne ne vienne frapper à la porte d'un membre de notre famille pour lui dire :

– Le docteur a fait tout ce qui était en son pouvoir, mais malheureusement Dieu a rappelé votre parent…

*

Des passages qui ne mènent nulle part. Certaines rues n'ont toujours pas de nom. D'autres se perdent, espèrent déboucher vers l'océan Atlantique mais passent maladroitement derrière des propriétés vétustes et se terminent en impasses où des immondices déposées çà et là forment une montagne qui bouche l'horizon.

Un chien rachitique erre, la queue entre les jambes, et me regarde du coin de l'œil avant de détaler. Il m'a sûrement pris pour un fantôme. Moi je l'ai pris pour le chien de mon enfance, Miguel. Nous sommes quittes…

Cinéma Paradiso

Il n'y a plus de cinéma dans cette ville, et cela dure depuis les années 1990 où la population a vu se propager les Églises de Réveil qui ont pris d'assaut la plupart des salles dédiées au septième art. Le cinéma Rex, espace mythique de projection de films, est devenu une église pentecôtiste dénommée La Nouvelle Jérusalem, avec ses pasteurs endimanchés qui annoncent l'Apocalypse à tour de bras, menacent les mécréants des flammes de la géhenne et promettent à leurs ouailles miracles et fortunes. La désillusion se lit sur les mines des aveugles, des sourds, des muets et des paralytiques. Ils traînent dans les parages et espèrent une guérison divine.

C'est pourtant là que nous nous attroupions et attendions chaque matin le collage de l'affiche du film qui serait projeté à partir du début de l'après-midi. C'est aussi là que nous acclamions les aventures de Bud Spencer et Terence Hill dans *On l'appelle Trinita*, *On continue à l'appeler Trinita* ou *Deux Super-Flics*. C'est encore là qu'un portier, boxeur professionnel au visage de truand du Far West, faisait la loi, nous indiquait où nous devions nous placer dans la queue. Il travaillait avec ses gants de boxe autour du cou et, au moindre remue-ménage dans la foule, il les enfilait. Nous étions ses sujets, nous devions nous plier à sa volonté, à ses caprices au risque de prendre un uppercut qui nous enverrait tout droit à l'hôpital Adolphe-Sicé. Il vous éjectait de votre siège selon son humeur afin de placer un de ses parents ou quelqu'un qui l'avait soudoyé, et vous n'aviez plus qu'à vous asseoir par terre. Il laissait entrer les gamins à une séance interdite « aux moins de dix-huit ans » moyennant une pièce de cent francs CFA. Autant que je m'en souvienne, c'était lui le responsable direct de la plupart des rixes devant le cinéma ou à l'intérieur, comme s'il tirait profit des lieux pour appliquer ce qu'il avait appris dans la salle d'entraînement. Puisqu'il était laid, on l'avait vite surnommé « Joe Frazier » en écho aux propos de Mohamed Ali qui traitait son opiniâtre concurrent de la sorte.

Au moment de l'arrivée des films d'arts martiaux dans la capitale, notre Joe Frazier local s'aperçut que la boxe ne terrorisait plus personne car un pugiliste, à la différence d'un karatéka, était incapable de s'envoler dans les airs – ce que nous appelions le « décollage » –, avant d'atterrir devant son adversaire et de lui assener le coup fatal. Nous ignorions que ces « décollages » n'étaient qu'un de ces artifices dont le cinéma avait le secret et que les acteurs étaient des gens aussi ordinaires que nous. Du jour au lendemain les affiches de Bruce Lee dans *La Fureur du dragon*, dans *Opération Dragon* ou dans *Le Jeu de la mort* avaient remplacé celles de Clint Eastwood, de Lee Van Cleef et Eli Wallach dans *Le Bon, la Brute et le Truand*. Ces acteurs de westerns spaghettis ne nous enchantaient plus avec leurs armes à feu hors de notre portée et ces chevaux que nous n'avions jamais vus de près. À nos yeux, le karaté nous paraissait plus accessible puisqu'il suffisait d'apprendre les différents katas et la philosophie de maître Gichin Funakoshi, l'inventeur du karaté Shotokan. C'est ce qui expliqua la prolifération des dojos où nous donnions tout notre argent de poche à maître Mabiala qui s'était autoproclamé ceinture noire douzième dan et promettait de nous dévoiler le secret du « décollage » de Bruce Lee. Nous étions nombreux à attendre ce moment crucial où nous nous envolerions en émettant un cri qui terroriserait notre adversaire, mais le prétendu maître s'attardait plutôt sur des exercices physiques qui nous épuisaient tellement que le nombre d'élèves diminuait chaque jour. En réalité nous étions ses domestiques, et il nous obligeait à balayer son dojo et sa maison, à préparer sa nourriture, à faire sa vaisselle ou à laver ses habits dans la rivière Tchinouka. Quand les impatients lui demandaient quel jour nous apprendrions vraiment ce décollage tant prisé, il répondait :

– Vous n'avez pas fini d'apprendre tous les katas de maître Funakoshi, et même quand vous les aurez maîtrisés, il y aura d'autres katas, les katas supérieurs ajoutés par ses disciples en sa mémoire ! Et puis, arrêtez de vous plaindre, l'oiseau ne vole pas dès sa naissance, il faut que ses ailes poussent ! Donc vous aussi, laissez aux ailes de votre esprit le temps de pousser. Vous décollerez un jour sans vous en rendre compte !

Les courageux qui continuèrent à suivre les cours réussirent enfin à décoller : maître Mabiala les installait sur le toit de son domicile à l'aide d'une échelle et leur demandait de sauter en poussant le même cri que Bruce Lee dans *Big Boss*…

Les comédies résistèrent à cette vague déferlante de films d'arts martiaux grâce à l'énergie et aux gesticulations cocasses de Louis de Funès dans la saga du *Gendarme de Saint-Tropez* ou dans *Fantômas contre Scotland Yard* et *Fantômas se déchaîne*. L'acteur français jouait le rôle du commissaire Juve obnubilé par la capture de Fantômas, ennemi public numéro un. Cet anti-héros narguait sans cesse le commissaire Juve et s'échappait dans sa fusée sous les applaudissements des spectateurs. C'était l'une des rares fois où nous applaudissions un méchant, ce que nous ne faisions pas pour les westerns spaghettis où les ennemis de Clint Eastwood étaient sifflés par une salle qui réclamait le remboursement. Nous étions surtout agacés par la présence des truands que Clint Eastwood avait pourtant abattus dans un film précédent, mais qui revenaient dans le suivant. Comme nous prenions le cinéma pour la réalité, nous étions choqués et estimions qu'on nous prenait pour des imbéciles qui n'allaient pas se rendre compte de cette supercherie dont le but était de nous subtiliser notre argent.

Les films indiens tirèrent leur épingle du jeu, sans doute à cause de ces interminables histoires d'amour qui étaient leur marque de fabrique, mais aussi de la force physique de l'acteur Dara Singh, sans compter la féérie du *Magicien de l'enfer*, et surtout l'envoûtement de cette musique qui nous faisait couler des larmes. Nous rêvions de nous rendre un jour en Inde où nous épouserions des Indiennes parées des mêmes bijoux que les actrices qui crevaient l'écran. L'Inde était notre Pérou, le lieu où nos rêves se réaliseraient grâce à quelques tours de magie que nous aurions appris, inspirés par ce que nous voyions au cinéma. Nous nous exprimerions alors aisément en hindi ou en ourdou puisque nous chantions déjà dans ces langues avec les acteurs venant de ce pays même si nous ne les comprenions pas. Nous serions sans doute pauvres, mais cela nous arrangerait car dans ces films les indigents finissaient par se marier avec la belle au détriment du plus riche. Nous exigerions d'embrasser vraiment les femmes, loin de cette pudeur qui nous agaçait et nous contraignait à deviner nous-mêmes que l'acteur principal et sa dulcinée avaient enfin couché ensemble…

Le projectionniste du cinéma Rex était un jeune coureur de jupons qui ramenait dans sa cabine une nouvelle copine à chaque séance. Il les choisissait parmi les demoiselles qui faisaient la queue avec nous. Pour être vite repérées, celles-ci s'habillaient et se maquillaient comme si elles se rendaient à une fête. Il fallait les voir cligner des yeux dans le dessein d'attirer l'attention du technicien qui prenait son temps avant de se décider. Elles se chamaillaient, s'insultaient jusqu'au choix de l'heureuse élue qui aurait le privilège de regarder le film à travers un petit trou, juste à côté de celui d'où provenaient les images. Certains incidents de projection étaient causés par l'opérateur qui, pour épater la fille, lui détaillait là-haut les ficelles de son métier et ce qu'il appelait « la sorcellerie du cinéma ». Comme il parlait fort, les spectateurs du fond l'entendaient expliquer que dans un film il y avait vingt-quatre images par seconde et qu'entre celles-ci, un obturateur coupait le faisceau lumineux pour donner l'impression d'un mouvement fluide et imperceptible à l'écran. Du coup, la jeune femme, surexcitée, demandait à remplacer les bobines et nous renvoyait par mégarde des images renversées. Nous les entendions rigoler, courir dans ce réduit et se livrer à des ébats que la foule applaudissait. Nous n'en voulions pas pour autant au projectionniste car nous savions que l'enchantement dépendait de lui, de sa façon de manier le projecteur 35 mm.

Le travail de ce jeune homme ne se limitait pas à se terrer là-haut. On l'entendait descendre à toute vitesse, se ruer dehors afin de réceptionner les bobines provenant des cinémas Duo et Roy, à l'autre bout de la ville, dans une petite fourgonnette Renault 4L. Il fallait en effet attendre que ces deux autres espaces terminent au moins deux bobines qui duraient chacune de quinze à vingt minutes. C'est dire que pour de longs films – comme *Mangala, fille des Indes* qui dépassait deux heures et demie –, le livreur avait du pain sur la planche, de même que le projectionniste que les spectateurs sifflaient lorsqu'il y avait du retard et que le spectacle était interrompu au milieu d'une action palpitante parce que la fourgonnette était tombée en panne ou que les autres salles avaient eu un pépin. L'opérateur, impassible, nous passait alors en boucle une réclame des savons Cadum...

Devant ce cinéma, on dénombrait quelques vendeurs qui étalaient par terre leurs marchandises : des bandes dessinées de Tex Willer, de Rodéo, d'Ombrax, de Blek le Roc, de Zembla et les romans de Gérard de Villiers ou de San-Antonio. Parfois on tombait sur les recueils de poèmes de Rimbaud, de Baudelaire ou sur une œuvre complète publiée dans la Pléiade. En ouvrant l'ouvrage, on notait le sceau du Centre culturel français. Ce volume ne trouvait pas souvent preneur car dans cette « librairie par terre », le titre le plus demandé était *Sang d'Afrique* (tome 1, *L'Africain* ; et tome 2, *L'Amoureuse*) de Guy des Cars. Nous étions captivés par les deux protagonistes de *Sang d'Afrique* unis par un mariage mixte : la Française Yolande Hervieu – avec ses parents anciens coloniaux, riches et racistes – et l'orphelin de l'Oubangui-Chari, Jacques Yero, issu d'une famille pauvre et adopté par des Blancs qui l'envoyèrent en France pour poursuivre des études dans ces années 1950 où le Nègre se débattait toujours pour prouver aux yeux du monde qu'il était un homme pareil aux autres. Les deux héros se retrouveront sur les bancs de la faculté de droit de Paris. Nous retenions notre souffle en lisant le passage où la Blanche prend la décision de présenter son futur époux noir à ses parents. Le courage de cette Française allait nous toucher puisqu'elle suivrait son époux en Afrique contre le gré de ses parents, naturellement opposés à cette union. À travers le premier tome de *Sang d'Afrique*, c'était donc notre propre histoire que nous lisions, car la vie du couple dans le continent noir coïncidait avec les indépendances de plusieurs pays francophones, l'Oubangui-Chari devenant la Centrafrique. Le deuxième tome nous montrait un couple dont l'homme avait atteint une ascension politique, mais avec toute la jalousie que cela pouvait susciter, sans compter un certain racisme aussi bien de la part des Noirs que de cette race blanche prompte à couver encore des esprits qui prônent sa supériorité. Plus tard, en arrivant en France, je pris conscience qu'on sous-estimait Guy des Cars jusqu'à qualifier ses œuvres de « romans de gare » quand l'écrivain n'était pas surnommé « Guy des Gares ». Cela n'effaça pas pour autant l'admiration que je vouais à celui qui, certainement, avait donné le goût de la lecture à toute une génération de Ponténégrins, voire d'Africains francophones.

Ces « librairies par terre » qu'on retrouvait également devant les cinémas Roy et Duo étaient tributaires de la clientèle de ces salles. Elles n'ont donc pas survécu à la disparition du cinéma. Autres temps, autres mœurs, devant le cinéma Rex des commerçants ont installé une cabine téléphonique de fortune. Ils proposent le coût de l'appel à cinquante francs CFA, écoulent des téléphones portables, des cartes de recharge. D'autres vendent du pétrole dans des bouteilles de Pastis ramassées dans le centre-ville. Si les croyants de La Nouvelle Jérusalem respectent l'esprit de la Bible, iront-ils un jour jusqu'à s'en prendre à ces détaillants comme Jésus-Christ à l'encontre des marchands du Temple de Jérusalem ?

*

En ce début d'après-midi je suis devant le bâtiment qui, autrefois, nous garantissait le rêve, ramenait les héros fictifs du monde entier dans le quartier. Le cinéma Rex me paraît minuscule alors qu'à l'époque je le trouvais immense, voire incommensurable. Est-ce parce que j'ai fréquenté d'autres salles plus grandes en Europe, à Los Angeles ou en Inde où les spectateurs se transforment carrément en acteurs ?

J'observe notre ancienne salle et contiens à peine ma déception. Une banderole indique qu'un festival de musique chrétienne se déroulera dans l'enceinte. Deux fidèles de La Nouvelle Jérusalem, un grand et un petit de taille, se tiennent debout devant l'entrée et me défient du regard comme s'ils avaient deviné mon intention de pénétrer à l'intérieur. Je me rapproche, le grand de taille s'écarte. Il pense peut-être que j'ai rendez-vous avec le pasteur. Au seuil de la porte je me retourne et lève la main vers mon cousin Gilbert et ma compagne qui sont en face, devant le restaurant Paysanat. Ils traversent l'avenue de l'Indépendance et me rejoignent.

À la vue de l'appareil photo de ma compagne, le petit de taille fronce les sourcils et se précipite vers elle :

– C'est quoi ça, madame ? Ici c'est un lieu de culte, c'est interdit de filmer ou de photographier !

Gilbert vient aussitôt à la rescousse :

– Mon cousin vient d'Europe, c'est un écrivain, il écrit un livre sur ses souvenirs d'enfance et...

– Pas question ! De toute façon un mécréant n'a pas le droit d'entrer ici, écrivain ou pas écrivain !

– Mécréant ? Vous ne le connaissez pas et vous le traitez de mécréant ?

– Ça se voit ! S'il était un fils de Dieu il ne se pointerait pas ici avec une caméra !

– C'est pas une caméra, c'est un appareil photo…

– C'est la même chose !

À court d'arguments, mon cousin croit bon d'assener le coup de massue :

– Vous nous cassez les couilles avec votre religion ! Pourquoi donc vous vous filmez dans vos messes pour vous exhiber le dimanche à la télé si Dieu n'aime pas les images ?

Le grand de taille s'interpose :

– Dégagez, c'est fini !

Gilbert, hors de lui, pousse le petit de taille et s'introduit dans la salle où je me trouve déjà. Ma compagne fait de même tandis que les deux fidèles restent plantés en statues de sel, choqués par cette effronterie. Ils entrent à leur tour et ne nous quittent plus d'une semelle. Le grand de taille râle pendant que ma compagne prend les photos.

– Arrêtez donc de filmer la maison de Dieu !

Un jeune homme tiré à quatre épingles fait son apparition derrière l'endroit dédié au culte.

Le petit de taille grogne comme un chien d'appartement :

– Pasteur, on n'y est pour rien ! On leur a dit de ne pas entrer dans la maison du Seigneur, mais ils sont quand même entrés !

D'un ton apaisé, le pasteur nous demande :

– Est-ce que vous avez l'autorisation du propriétaire pour prendre des photos dans ces lieux ?

– C'est qui le propriétaire ? réplique ma compagne.

– Il habite juste derrière, et je crois qu'il ne va pas trop apprécier ce que vous faites car vous violez une propriété privée. Je vous propose de me suivre pour aller vous expliquer devant lui. Il va vous exiger de supprimer les images que vous avez déjà prises. Vous n'êtes pas les premiers à faire ça !

Nous ressortons en file indienne, le pasteur devant, et nous contournons le bâtiment. Nous nous retrouvons en face d'une parcelle dans laquelle un homme au crâne rasé, vêtu d'un bermuda et d'un marcel, est assis devant l'une des trois portes d'un long bâtiment dédié à la location.

L'homme nous aperçoit, écarquille les yeux de stupéfaction en me voyant et pousse un cri qui laisse pantois le pasteur :

– L'Américain ! Je n'en crois pas mes yeux ! Tu as pensé à venir voir le vieux Koblavi !

Le pasteur lui murmure quelque chose à l'oreille, Koblavi le repousse :

– Non ! Non ! Non ! Il est chez lui ici ! Il peut photographier ce qu'il veut ! Est-ce que tu sais que la petite rue en face du cinéma, la rue de Louboulou, c'est son oncle Albert qui l'a créée ?

Le pasteur, les bras le long du corps, la tête en biais, nous présente ses excuses. Il se courbe à trois reprises et rebrousse chemin pendant que Koblavi me désigne une chaise près de lui :

– Je t'en prie, assieds-toi petit frère ! Gilbert et madame, vous pouvez aller filmer la salle pendant que je discute avec mon Américain...

Aussitôt que Gilbert et ma compagne ont tourné les talons, Koblavi prend un air affligé :

– Je t'ai souvent vu à la télé en train de parler de tes livres, je m'excuse, j'ai honte parce que je ne les ai jamais lus... Un jour, dans une interview, tu as même évoqué le cinéma Rex, tu ne sais pas le plaisir que j'ai alors éprouvé !...

Il lève la tête vers le ciel :

– Le Seigneur a abandonné cette ville, et dans cet abandon, Il a aussi tourné le dos au cinéma Rex… Parfois je me rends dans la salle, je ferme tout, je m'assieds au milieu pour revivre cette époque où elle était pleine à craquer. Et j'entends le bruit, la clameur, j'aperçois les rêves s'envoler au-dessus de la tête de ces jeunes qui, pendant une heure ou deux, oubliaient les tracas de la vie quotidienne…

– Il y a maintenant des magnétoscopes, des lecteurs de DVD, ils peuvent encore rêver et…

– C'est de la foutaise, l'Américain ! Est-ce que ça remplacera l'ambiance qu'il y avait au cinéma Rex, hein ? Ces nouveaux trucs, c'est le règne de l'individualisme ! On a perdu le sens du cinéma, mon petit frère ! Un film qu'on regarde à la maison n'a pas la même force que celui qu'une foule regarde dans une salle !

Il chasse deux mouches qui tournoient autour de sa tête et reprend :

– Toi qui viens d'Amérique, je te conseille de regarder *Becky Sharp* ! Ça c'est du vrai cinéma, crois-moi ! Et ce n'est pas parce que j'ai une admiration pour l'actrice Miriam Hopkins que j'avais déjà vue dans *Docteur Jeckyll et Mister Hyde* ! Non, elle est splendide !

Il se lève, entre dans la maison, revient une minute après avec la photo de l'actrice américaine et me la tend ;

– Regarde comme elle était belle ! Tu sais que moi j'avais insisté pour qu'on projette au cinéma Rex les films dans lesquels elle jouait ? Bon, les gens préféraient plutôt regarder les règlements de comptes au pistolet, les navets indiens, les pitreries de Louis de Funès et toutes ces conneries d'acteurs de films d'arts martiaux. Dis-moi, qu'est-ce qu'on peut apprendre dans un film d'arts martiaux ?

Il m'arrache presque la photo des mains et souffle dessus :

– Je ne tolère pas cette poussière qui souille l'image de mon idole !

Il retourne ranger la photo et revient avec une bouteille de bière et deux verres. Je lui parle de l'Amérique puisqu'il y tient. Ses yeux brillent, presque comme un gamin émerveillé par un présent :

– Donc tu as déjà vu les deux étoiles de Miriam Hopkins sur le Hollywood Walk of Fame ?

– Non, malheureusement… Je ne connaissais pas cette actrice. Quand j'ai vu *Docteur Jeckyll et Mister Hyde* je n'avais pas fait attention…

Son visage se fige comme si je venais de commettre une profanation. Il murmure, les yeux à moitié clos :

– C'est mon rêve de mettre les pieds à Hollywood. Je ne comprends pas que tu vives dans la ville du cinéma et que tu n'aies pas pris le temps d'aller voir les deux étoiles de Miriam Hopkins…

Résigné, il se lance dans une diatribe acerbe contre les autorités politiques qui ne l'ont pas aidé, le poussant à donner en location le cinéma Rex à une congrégation religieuse :

– Ils ont tué le cinéma, ces hommes politiques ! Et c'est comme ça dans tout le pays, petit frère ! Même à Brazzaville il n'y a plus de salles ! Tu te rends compte du scandale ? Comment les jeunes vont connaître Miriam Hopkins, hein ? Le cinéma était quelque chose de magique, et partout où il y avait des salles, celles-ci ont donné leur nom aux quartiers ! On a maintenant le quartier Rex, le quartier Duo et le quartier Roy, hélas les politiques ne comprennent pas cet impact !

C'est par modestie que Koblavi n'insiste pas sur ce nom historique et prestigieux qu'il porte, celui de ses grands-parents d'origine ghanéenne qui, à la fin des années 1940, dominaient le secteur de la pêche à Pointe-Noire. Mais apparemment la plus grande fierté de ce descendant des Koblavi est ce cinéma dont il ne cesse de déplorer la disparition. Il s'excuse presque d'avoir négocié avec ces serviteurs de Dieu qui vendent les tickets du paradis à leurs ouailles, ignorant que beaucoup de gamins de Pointe-Noire ne connaîtront pas l'ambiance des salles obscures, la succession des publicités et le début du générique du film suivi des applaudissements des spectateurs. Comme je remarque la chaînette avec une croix qu'il porte autour du cou, je m'abstiens de critiquer la religion. Il la touche d'ailleurs et me prévient :

– Attention, moi je ne suis pas membre de La Nouvelle Jérusalem, je suis resté catholique dans le sens pur du terme…

Il me parle enfin de ma mère qu'il a connue, de l'oncle Albert qui était ami avec son père. Comme s'il me livrait ses ultimes paroles, il murmure très bas :

– C'est vrai que je suis d'origine ghanéenne par mes parents, mais je me suis toujours senti ponténégrin. Tu entends mon accent ? Il n'y a pas plus ponténégrin que moi dans cette ville ! Je n'ai jamais été victime d'une quelconque exclusion de la part de la population. C'est ici que je vis, et c'est ici qu'on m'enterrera…

*

Gilbert et ma compagne sont de retour. Pendant plus d'une demi-heure ils ont pris des images de l'ancien cinéma Rex et les montrent à Koblavi dont le sourire illumine un visage jusqu'ici marqué par la nostalgie. Il se laisse prendre en photo lui-même, exhibant son plus large sourire :

– Il ne faut jamais être triste sur une photo, on ne sait pas qui la verra dans dix, vingt, trente, quarante ou cinquante ans !

Il nous raccompagne jusqu'à la sortie de la parcelle et nous regarde nous éloigner.

Nous repassons devant la salle où les deux fidèles montent toujours la garde tels des cerbères. Cette fois-ci ils n'osent plus nous fixer droit dans les yeux. Il y a même une ombre derrière eux : c'est le pasteur qui nous guette alors que nous traversons l'avenue de l'Indépendance…

Les nuits fauves

La plupart des quartiers de Pointe-Noire ont gardé leurs noms qui proviennent du type d'activité pratiquée par les habitants, voire des origines ethniques ou géographiques de ceux-ci. Les « villages popo » par exemple, le long de la Côte sauvage, furent créés par les pêcheurs venus du Ghana, du Togo et les Béninois de l'ethnie popo échoués dans la ville à partir de la fin des années 1940 comme la famille Koblavi. Ils détenaient le monopole de la pêche maritime artisanale, avec une technique et un matériel – la fameuse pirogue popo de quatorze mètres – que ne pouvaient concurrencer les autochtones de l'ethnie vili, peuple côtier, et leurs embarcations d'à peine cinq ou six mètres devenues pour le coup rudimentaires. Les Sénégalais, les Maliens ou les Mauritaniens, eux, grands commerçants, composèrent le « quartier Grand-Marché » où ils élevèrent la seule mosquée dans une cité plutôt chrétienne, voire animiste. Les boutiques de pagnes importés, les magasins d'alimentation générale et d'électroménager étaient tenus par ces Ouest-Africains qui, à l'approche de leur retraite, passaient le relais à leurs compatriotes au point que les Ponténégrins s'imaginaient qu'ils ne mouraient jamais, d'autant que certains portaient les mêmes noms sans être de la même famille.

Était-ce par instinct grégaire que les originaires des départements de l'ouest de notre pays – le Niari et la Lékoumou – se regroupèrent dans les quartiers « Cocotier-du-Niari » et « Pont-de-la-Lékoumou » tandis que les ressortissants du sud du pays – notamment du département de la Bouenza, et surtout du district de Mouyondzi – se fixèrent dans les quartiers « Pont-de-la-Bouenza » et « Mouyondzi » ? La capitale économique ne dérogeait donc pas à l'image d'un pays où l'ethnie primait sur la Nation. Comment aurait-il pu en être autrement si même au sommet de l'État le pouvoir était réparti selon ce schéma ? Les sudistes se sentaient frustrés depuis des décennies par le règne sans partage du pouvoir politique verrouillé par les nordistes. Bien sûr, de temps à autre, ces derniers brouillaient les cartes et nommaient un ministre sudiste au portefeuille des Hydrocarbures. La population n'était pas dupe : ce ministre n'était qu'un faire-valoir et n'avait pour légitimité que son appartenance à la région du Sud où se trouvait le pétrole. Cela ne suffisait pourtant pas à calmer la grogne des sudistes. On leur donnait le sentiment qu'ils avaient la mainmise sur la principale richesse du Congo alors que ce ministre, on le savait, n'avait aucun contrôle sur les contrats qui, tous, étaient signés par les nordistes.

Et puis, il y a ce secteur très populaire que les Ponténégrins appellent « quartier Trois-Cents », un nom marqué nulle part sur les différentes plaques des rues. Est-ce par pudeur ou par souci de gommer la vraie histoire qui se cache derrière ? Dévoiler qu'on réside au quartier Trois-Cents laisse son interlocuteur pantois. Comme si on vivait dans une autre ville, voire sur le radeau de la *Méduse*. Pour ne pas prononcer ce nom, certains lui préfèrent celui de « quartier Rex », plus inscrit dans la mémoire officielle grâce à la renommée de l'ancien cinéma de la famille Koblavi, mais ne reflétant pas ce petit royaume de la prostitution dominé par les péripatéticiennes venues de l'ex-Zaïre dans les années 1970. Ces filles de joie étaient attirées par le pouvoir du franc CFA, plus coté que leur monnaie d'alors, le « zaïre », créé par lubie au cours de la politique d'« authenticité » instaurée par Mobutu Sese Seko. Celui-ci interdisait à son peuple les prénoms occidentaux, le port de la cravate et du costume au profit de l'« abacost[1] ». Il n'y avait d'ailleurs pas que ces filles qui avaient traversé le fleuve Congo, puis emprunté le train depuis la gare de Brazzaville pour conquérir Pointe-Noire dont les activités portuaires garantissaient une économie pérenne. On assista aussi à l'arrivée de maçons, de menuisiers et de pousse-pousseurs du « pays d'en face ». Comme nous parlons la même langue et avons la même culture, ces migrants n'étaient pas dépaysés, ils se fondaient dans la foule et seraient passés inaperçus s'ils n'avaient pas accepté les travaux que les Congolais, sous prétexte qu'ils étaient des « intellectuels », dédaignaient. Pour ces Zaïrois qui débarquaient chez nous, c'était le règne de l'« article 15 » : « Débrouillez-vous pour vivre » – un texte imaginé par une population abandonnée à son sort à la suite des quatorze articles que comptait la Constitution zaïroise habilement tricotée par le kleptocrate Mobutu afin de se maintenir au pouvoir jusqu'à la fin de sa vie.

1. *Abacost* : Abréviation de « À bas le costume ». La veste occidentale était perçue comme symbolisant la culture coloniale. Mobutu, obnubilé par la « zaïrianisation », imposa alors l'*abacost*, veston porté à même la peau entre 1972 et 1990.

Le quartier Trois-Cents, situé derrière le cinéma Rex, était le lieu où les filles vendaient leurs charmes. Et c'est encore le cas aujourd'hui. Les logements en planches ou en tôles côtoient par moments des constructions en dur inachevées, mais tout de même habitées. Le promeneur qui s'égare dans les rues tortueuses de ce secteur marchera sur des préservatifs qui traînent par terre. À croire que désormais les filles se passent de leurs alcôves mal éclairées pour travailler « en plein air » lorsque tombe la nuit et que tous les chats sont vraiment gris.

Le nom de « quartier Trois-Cents », selon certains, provient de la guerre que se livraient les prostituées zaïroises et celles de notre ville qui avaient fixé le prix de la passe à cinq cents francs CFA depuis des lustres. Les Zaïroises modifièrent la donne en baissant ce coût à trois cents francs CFA. Il se racontait de plus en plus dans la ville que les Zaïroises étaient plus « compétentes » et savaient comment retenir une clientèle au point que beaucoup de pères de famille leur laissaient une bonne partie ou la totalité de leur salaire. On ne comptait plus le nombre d'épouses qui venaient chercher leur mari au quartier Trois-Cents. Or dans ces entrelacements d'artères, de passages, d'impasses et de trous qui menaient d'une parcelle à une autre, d'une maison à une autre, comment pouvait-on retrouver un homme qui, sans doute, roupillait dans le lit d'une de ces amazones de l'autre Congo ?

Les batailles entre ces professionnelles du sexe se prolongeaient parfois jusqu'à l'avenue de l'Indépendance où les deux camps s'affrontaient à coups de marteau quand ils n'utilisaient pas la soude caustique sur le visage de leurs adversaires, solution finale pour les envoyer à la retraite. Nous croisions des prostituées au visage calciné mais qui, malgré cela, continuaient à travailler dans les encoignures les plus sombres où les clients ne distinguaient pas trop leur faciès.

La situation inquiétait de plus en plus les autorités publiques. Sans doute à cause de certaines pratiques qu'on imputait aux Zaïroises, notamment l'usage des gris-gris ou du poison à retardement dans le but d'éliminer leurs collègues. Elles n'hésitaient d'ailleurs pas, lorsque la sorcellerie et l'empoisonnement n'avaient pas été efficaces, à recourir aux brigands payés en nature – le plus souvent leurs compatriotes – afin de procéder à l'assassinat des Ponténégrines dont les corps étaient par la suite abandonnés au bord de la rivière Tchinouka ou sur la Côte sauvage. Devant l'impuissance de la force publique et l'atmosphère permanente de peur, les Ponténégrines désertèrent un moment ce territoire et se replièrent vers le centre-ville. Elles virent chuter leur chiffre d'affaires car le centre-ville, d'ordinaire fréquenté pendant les heures de bureau, se vidait lorsque tombait la nuit. Elles n'avaient plus pour seule alternative que de s'aligner sur le prix des Zaïroises ou de mettre la clé sous le paillasson. Le tarif unique de trois cents francs CFA fut enfin généralisé et les deux camps enterrèrent la hache de guerre. Seule la manière de faire distinguait à présent ces filles, et tant pis pour celles qui n'avaient jamais prêté attention aux paroles déclamées par Brassens dans *Le Mauvais Sujet repenti* :

> *Car, dans l'art de fair'le trottoir,*
> *Je le confesse,*
> *Le difficile est d'bien savoir*
> *Jouer des fesses...*
> *On n'tortill'pas son popotin*

D'la mêm'manière,
Pour un droguiste, un sacristain,
Un fonctionnaire...

*

Marcher tout seul dans le quartier Trois-Cents suscite l'intérêt de ces femmes qui vous guettent depuis leurs bicoques. Elles pressentent, rien que par l'attitude du « promeneur », les mobiles qui le conduisent jusqu'à leur fief. Il y a des hommes qui hésitent, font semblant de s'égarer, reviennent sur leurs pas et refont le même scénario un quart d'heure après. Les plus courageux vont d'un pas assuré, brouillent les cartes en sifflotant un air joyeux, ne se retournent surtout pas et s'infiltrent avec la célérité d'un prédateur dans une des parcelles d'où ils ne ressortiront qu'une demi-heure plus tard.

En m'aventurant ici j'ignore dans quelle catégorie celles qui m'épient vont me classer. Toujours est-il que pendant que je quitte l'avenue de l'Indépendance et emprunte la première ruelle menant à l'intérieur du quartier, je sens une présence derrière moi. Je dépasse la concession de Koblavi et me retourne : une femme aux jambes d'échassier et aux lèvres exagérément rougies vient vers moi et m'apostrophe :

– Vous cherchez quoi ici ? Vous êtes journaliste ?

Je hâte le pas et tente de gagner la rue de Loukenéné, à ma droite. Mais la femme sait où débouchent toutes les artères de son quartier, elle coupe par la rue Moe-N'Dendé, et je la retrouve de nouveau en face de moi, cette fois-ci déterminée, avec un bout de papier entre les mains.

– Je veux que vous lisiez ça, c'est mon histoire que j'ai racontée à un autre journaliste comme vous...

Ses yeux à fleur de tête couvent l'expression de celle qui n'a pas parlé depuis longtemps, celle sur qui l'existence pèse depuis des années. Elle me désigne une parcelle à deux pas de là. Sans hésiter, j'entre avec elle et tombe dans la cour sur d'autres femmes qui me détaillent des yeux.

– C'est moi qui les ai fait venir de mon village natal pour travailler ici...

Puis, se tournant vers ces ombres muettes, elle lance :

– N'ayez pas peur, les filles, ce monsieur est un journaliste qui travaille avec les Blancs ! Hier je l'ai vu vers le cinéma Rex, et je me suis dit que je ne le laisserais pas s'en aller sans qu'il entende mon histoire. C'est comme ça que le monde entier connaîtra enfin notre galère ! Nous on ne veut qu'une chose dans ce quartier : pas de sexe sans condom !...

Les autres filles répondent en cœur :

– Pas de sexe sans condom !!!

Et, dans les parcelles de derrière, comme un mot d'ordre qui était attendu, j'entends s'élever des voix :

– Pas de sexe sans condom ! Pas de sexe sans condom ! Pas de sexe sans condom !

Je déplie le bout de papier que me tend la femme. C'est une dépêche de l'agence Syfia datée de 19 septembre 2009 et intitulée : *Congo-Brazzaville : des prostituées tiennent plus à la vie qu'à l'argent*. Aux yeux de la femme ce document paraît plus important que son acte de naissance.

– Lisez ça, monsieur, c'est mon histoire, c'est aussi l'histoire des femmes que vous voyez ici !

Je déplie le bout de papier et commence la lecture à haute voix, la femme approuvant à chaque mot :

Plus question de rapports sans préservatifs. Les professionnelles du sexe de Pointe-Noire, au Congo, ont pris conscience des risques de leur métier, en particulier du sida, grâce à l'association créée par plusieurs d'entre elles. Aujourd'hui, elles se montrent intransigeantes avec leurs clients, quelle que soit la somme qu'ils leur proposent. Cette femme, qui a requis l'anonymat, vit actuellement au quartier Rex, à Pointe-Noire. Professionnelle du sexe depuis 1990, elle reçoit les clients chez elle ou loue une chambre. Ses enfants vivent ailleurs, car « il faut leur épargner ce vilain spectacle », dit-elle. À 500 Fcfa (0,76 €) la passe, elle gagne plus de 80 000 Fcfa (122 €) par mois ce qui lui permet de faire vivre sa famille. Elle parle sans honte de son métier : « Certains de mes parents le savent. La vie est un choix. Il suffit dans la pratique de son travail d'éviter les dangers. »

Pendant que je constate que le coût de la passe est maintenant fixé à cinq cents francs CFA et que le quartier n'a pas changé de nom au regard de cette augmentation, la prostituée me précise :

— La femme qui garde l'anonymat dans cet article, c'est moi. À vous non plus je ne dirai pas mon nom, on vous connaît, vous les journalistes ! Vous arrivez ici pour nous faire parler, et puis quand vous allez en Europe, ce qu'on lit c'est le contraire de ce que nous avons dit et de ce que vous avez vu ! Si vous voulez me donner un nom dans ce que vous écrirez, dites que je m'appelle Madame Claude…

— Je ne suis pas un journaliste, madame…

— Si, vous l'êtes ! Pourquoi n'êtes-vous pas heureux d'exercer votre profession ? C'est plus honteux d'être journaliste que pute comme moi ?

— En fait je reviens sur les traces de mon enfance…

— On connaît ce baratin ! C'est un peu comme ces clients qui passent par ici et qui prétendent qu'ils se

sont trompés de rue et veulent des renseignements !
N'importe quoi ! Ils veulent tirer leur coup, mais leur
conscience leur parle encore. Moi je sais que vous
êtes un journaliste, je vous ai aperçu de mes propres
yeux hier, devant le cinéma Rex avec un type et une
femme blanche, puis vous êtes allé discuter avec le
vieux Koblavi dans sa parcelle, c'est pas ça ?

— Oui, mais je…

— Ne me coupez pas la parole, s'il vous plaît ! Est-
ce que ce vieux Koblavi a dit du mal de nous autres
du quartier Trois-Cents ?

— Non, pas du tout…

Un peu rassurée, elle me tend un tabouret et s'assied
à même le sol. D'un geste de la tête elle évacue les
autres femmes qui sortent de la parcelle les unes après
les autres sans émettre un seul mot.

— Je n'ai rien à vous offrir, monsieur le journaliste…
Mettez en marche l'enregistreur de votre téléphone portable, je vais vous parler de mon histoire, et je vous
prie de ne pas m'arrêter…

Je sors mon téléphone de la poche. Elle se racle la
gorge, essuie avec le revers de sa main la sueur qui
ruisselle sur son front et se croise les bras :

— Monsieur le journaliste, je ne suis pas une petite
fille, je suis une femme qui a vécu, et je peux vous dire
que ce corps que vous voyez a été touché aussi bien par
des pousse-pousseurs crasseux que par les plus hautes
personnalités de mon pays là-bas, et même du tien. Ce
commerce, c'est ma vie, c'est ce que je sais faire de
mieux et c'est ce qui m'a conduit dans ce pays. Quand
je ne pourrai plus l'exercer, alors je plierai bagage, je
retournerai dans ma terre natale au fin fond de mon
village de Bandundu où je cultiverai la terre. J'ai dit aux

autres journalistes que j'avais des enfants, c'est faux, j'ai inventé beaucoup de choses pour secouer les gens…

Elle observe un moment de silence, regarde vers la porte d'entrée de la parcelle et poursuit :

– Je n'ai pas eu d'enfants, mes sept frères ont tous quitté Kinshasa. Trois d'entre eux vivent à Bruxelles dans le quartier Matongé et se sont mariés avec des Blanches ; deux se débrouillent en Angola dans le commerce d'alimentation, et les deux derniers errent dans les métros parisiens où ils jouent de la musique à la sauvette d'après les échos qui me reviennent de la bouche des vacanciers. Il y a comme un mur entre nous, je ne suis à leurs yeux que la honte de la famille. Je n'ai plus de nouvelles de tout ce monde depuis, peut-être parce qu'ils m'en veulent d'avoir suivi le chemin tracé par ma mère. Était-ce vraiment sa faute ? Je ne juge pas, seul Dieu est capable de juger nos actes. A-t-on cherché à savoir ce qu'il y a derrière chaque femme qui marchande ses attributs, hein ? Pense-t-on que c'est une activité qu'on choisit comme certains choisissent de devenir coiffeur, charpentier ou journaliste comme vous ? J'ai fait des études, j'ai même reçu mon baccalauréat, mais à quoi ça m'a servi alors ? On ne naît pas pute, on le devient. Un jour ou l'autre, on se regarde dans la glace, l'horizon semble bouché, on est au pied du mur. Et puis on franchit le pas, on propose à un passant son corps avec un sourire de circonstance, parce qu'il faut aguicher comme dans tout commerce. On se dit que ce corps, même si on le déprécie un soir, on le lavera le lendemain afin de lui rendre sa pureté. Et on le lave une fois, on le lave deux fois, mais l'habitude ramollit ces scrupules, puis on ne le lave plus du tout, on assume ses actes parce que les eaux de la terre, y compris le Gange, ne pourront jamais procurer de la pureté à qui que ce soit. Si c'était le cas, avec ces rivières, ces fleuves, ces mers, ces océans qui coulent sur terre il n'y aurait ici-bas que des femmes et des hommes purs et innocents. Je n'ai fait que suivre le destin que Dieu a voulu me donner même si on ne voit de moi que la maquerelle qui gouverne des filles ramenées de son pays. Je suis la femme sur qui on jette la pierre, c'est même écrit noir sur blanc dans la Bible, je crois, mais est-ce que Jésus n'a pas protégé les putes ? Moi je fais le bonheur de plusieurs hommes dans ce quartier, et c'est déjà ça. Depuis mon enfance, comme mon père avait déserté le foyer, ma mère me préparait à cette activité, celle qu'elle avait elle-même exercée jusqu'à la fin de ses jours. C'est grâce à ça que nous avons eu un toit à nous, mes sept frères et moi. Lorsque les filles de mon village s'amusaient à la poupée, ma mère, elle, m'expliquait ce qui pourrait retenir un homme : la cuisine et le sexe, disait-elle, tout le reste n'est que chimère, y compris la beauté et le diplôme. Une femme belle et diplômée qui cuisine mal et qui bâille au lit se fera supplanter par une laide inculte qui sait préparer un plat de saka-saka et qui envoie son amoureux au-delà du septième ciel. Je veux que vous marquiez ça dans l'article que vous écrivez sur nous. Tout ce que je vous ai dit, je ne l'ai dit à aucun journaliste, mais vous, quelque chose me fait croire que vous ne nous trahirez pas, sinon le vieux Koblavi ne vous aurait pas reçu dans sa parcelle, je le connais. Mais n'oubliez pas, appelez-moi Madame Claude… Coupez maintenant votre portable, c'est fini !

Je range mon téléphone. Les femmes qui avaient déserté la parcelle reviennent peu à peu, comme si elles écoutaient derrière les tôles qui délimitent la propriété.

Je me lève et tends la main à cette Madame Claude. Elle la retient :

– Le vieux Koblavi est un homme bien, il ne nous a jamais vues comme des putes et nous respecte. Ne dites pas que moi j'ai raconté n'importe quoi sur lui, est-ce que vous comprenez ?

– Oui, je comprends...

Je regarde ma montre, il sera bientôt midi.

En sortant de la parcelle de cette Madame Claude, je remarque en face un autre groupe de femmes qui m'épient et se demandent pourquoi je ne m'oriente pas vers elles.

Je fonce vers l'avenue de l'Indépendance pour trouver un taxi.

Guerre et paix

Le taxi me dépose devant Chez Gaspard. J'ai failli rebrousser chemin : ce restaurant très populaire du quartier Grand-Marché est bondé et bruyant. Certains clients patientent depuis un moment à l'entrée. À ma grande surprise, un type assis tout seul, maigre comme un clou, me fait signe de la tête de me rapprocher de lui. Voyant que je demeure immobile et indécis, il lance d'une voix puissante :

— Venez donc ! Vous êtes mon invité !

Je m'avance vers cet inconnu et m'assieds en face de lui.

— Je sais, je sais que vous vous dites qu'on ne se connaît pas. Moi je vous connais ! Vous êtes écrivain, je vous ai parfois vu à la télé ! Tous ces gens qui mangent là sont des incultes, ils ne savent pas qui vous êtes ! Mais moi je suis un type qui suit l'actualité !

— Vous attendiez peut-être quelqu'un qui…

— Ici c'est ma place, je n'invite que ceux que je choisis moi-même. Avant-hier j'ai déjeuné avec un journaliste blanc, hier avec un colonel de notre armée, et ce soir je suis avec un écrivain ! Un conseil : ne mangez pas le sanglier aujourd'hui, on m'a dit qu'il n'est pas si frais…

Il agite la main vers la serveuse. Celle-ci nous apporte deux bières Primus et les décapsule, le visage fermé, comme si la présence de l'inconnu l'incommodait. Elle regagne le comptoir pendant que mon hôte détaille avec gourmandise son derrière :

— Cette fille c'est mon dossier, et c'est classé. Elle a beau me faire cette tête, moi j'ai déjà tiré mon coup… Vous avez vu comment elle est roulée du derrière, hein ?

Je me retourne et acquiesce de la tête.

— Ce pays a changé, cher écrivain…

Comme je scrute la cicatrice qui coupe son visage en deux, l'inconnu passe une main dessus :

— Oui, je sais, tout ça c'est à cause de la guerre, je veux dire du pétrole…

Il regarde vers les clients assis derrière nous, puis vers ceux d'en face pour s'assurer qu'ils ne nous écoutent pas et poursuit :

— Dieu nous a donné du pétrole alors que nous ne sommes qu'un petit pays avec à peine trois millions de personnes. Pourquoi a-t-Il mis tout le pétrole dans le Sud au lieu d'en donner un peu au Nord pour que chacun ait au moins une part du gâteau et qu'on arrête de se battre les uns contre les autres, hein ? Mais bon, vous savez, je vais pas me plaindre quand je pense que certains pays sont dans la galère et n'ont même pas une gouttelette de pétrole sous terre ou dans la mer !

Il soulève son verre, le vide d'un trait, se ressert :

— Le pétrole c'est le pouvoir ! Quand il y a une guerre, c'est qu'il y a du pétrole. Sinon, dites-moi, pourquoi les nations ne se battent pas pour l'eau ? Imaginez un pays qui n'aurait pas d'eau, est-ce que sa population survivrait ? Le pétrole a foutu la pagaille entre les nordistes et les sudistes. Et, comme des cons, on a eu une guerre civile rien que pour ça !

La serveuse revient pour prendre nos commandes. J'évite le sanglier et jette mon dévolu sur l'antilope à la pâte d'arachides. L'inconnu tergiverse un moment puis opte pour le poisson salé aux champignons et lance une fois de plus un œil sur le derrière de la fille qui s'éloigne :

– Vous avez vu ça ? Quand je pense que j'ai chevauché ça et qu'elle fait maintenant des caprices ! Bon, de toute façon c'était pas un bon plan, la fille ne bouge pas au lit comme il faut et elle vous laisse faire tout le boulot… Qu'est-ce que je vous racontais déjà ?

– La guerre civile pour le pétrole et…

– Ah oui, cette guerre c'était pour contrôler le pétrole, le vendre en cachette et s'acheter des villas en Europe ! Ici le pétrole n'appartient pas au peuple, il appartient au président de la République et à sa famille. Je ne cite pas les noms parce que les murs que vous voyez là ont de longues oreilles de lapin… Le problème c'est que le président, il travaille avec les Français. Or celui qui a été renversé souhaitait ne plus travailler avec les Français, mais avec les Américains. Alors les Français ont aidé leur ami pour qu'il reste au pouvoir alors que les Américains n'ont pas protégé le nouveau président élu démocratiquement. Ils ne sont pas idiots, les Américains, ils savent qu'ils peuvent aller faire leur guerre ailleurs – en Irak par exemple – pour avoir beaucoup plus de pétrole que chez nous. Pourquoi se battraient-ils pour un petit pays qui a moins de pétrole que l'Irak, hein ?

Deux femmes habillées en jupes très courtes entrent dans le restaurant. Chaussures à longs talons. Maquillage à outrance. Elles traversent la salle, se déplacent comme dans un défilé de mode et s'arrêtent au comptoir.

L'inconnu me tutoie tout d'un coup :

– Tu vois ça ? Elles chassent ! C'est des putes du quartier Trois-Cents, mais des Ponténégrines, pas des Zaïroises qui viennent rarement dans ce restaurant ! La guerre a tout mis par terre, maintenant il faut se débrouiller pour vivre ! Qu'est-ce que je te racontais à l'instant ?

– La guerre, les Français, les Américains et...

– Oui, nous avons connu une guerre civile, tu dois le savoir, c'était dans les journaux du monde entier. Le nord du pays se battait contre le Sud. C'est les nordistes qui étaient au pouvoir, et ils ne voulaient pas lâcher le pétrole. La guerre-là était grave, je te dis. Y a eu des armes venues de partout. Les nordistes ont demandé de l'aide aux Angolais et aux Français qui sont venus envahir le Sud. Les populations du Sud fuyaient dans la brousse pour se cacher. On mourait de faim, de moustiques et autres maladies tropicales. Y en a qui étaient mangés par les crocodiles ou les lions. La guerre était sur terre et dans le Ciel, je te jure !

Il s'aperçoit que certains clients prêtent attention à nous. Il avance sa chaise vers moi et chuchote :

– On voyait les avions militaires raser les forêts. Ceux qui avaient fui dans la brousse, on les appelait maintenant les « réfugiés ». La communauté internationale disait qu'il fallait les aider, leur apporter de la nourriture même si dans la brousse on peut manger n'importe quoi comme font les Pygmées. Or les Pygmées c'est pas des gens sérieux, je les aime pas, ils sont trop petits de taille et leur estomac n'a pas faim tous les jours comme pour nous autres les hommes de grande taille, je veux dire des hommes normaux. Les Pygmées c'est des salauds qui peuvent ne pas manger ou boire pendant des semaines tandis que les êtres de notre taille doivent manger chaque jour. C'est pas injuste ça ? Ils sont qui, ces Pygmées, pour se passer comme ça de la nourriture, hein ? D'ailleurs, ils font quoi, cachés tout le temps dans la brousse ? Ils ne savent même pas que la télé existe, que le téléphone portable est entre les mains de tout le monde et que pour voyager loin on emprunte le train ou l'avion ! Bref, c'est des gens que j'aime pas, mais on fait avec...

Le regard de l'inconnu est presque humide, comme si des larmes allaient couler de ses yeux. Il considère un instant la bouteille de bière et enchaîne :

– Monsieur l'écrivain, tu ne sais pas ce qui s'est passé dans ce pays de merde. C'était terrible ! Les journaux n'ont pas dit la vérité parce que ces journaux, c'est écrit par qui, hein ? Par des espions, c'est-à-dire les Français ! Depuis quand les Français disent la vérité ? Ils mentent tout le temps ! Moi j'ai vu cette guerre de mes propres yeux, j'étais là, j'étais dans le groupe des refugiés. Parfois des femmes enceintes accouchaient dans la brousse parce que, entre nous, les bébés ils naissent même quand y a le pétrole et la guerre dans un pays. Le pire c'est qu'on continuait à faire l'amour pendant que la guerre tuait des gens en pagaille. Tu me demanderas certainement : pourquoi n'avoir pas attendu la fin de la guerre pour faire l'amour ? Ah non, on ne pouvait pas attendre la fin de la guerre sinon on allait oublier comment faire l'amour et, à la fin de cette putain de guerre, on aurait fait l'amour avec les animaux ! C'était pas nouveau : dans l'histoire de ce monde il paraît que des gens faisaient même l'amour alors qu'il y avait le choléra...

La serveuse dépose nos plats sur la table juste au moment où j'entends mon ventre gargouiller. Je n'écoute presque plus mon inconnu et dévore ce plat pimenté, le visage à quelques centimètres seulement de l'assiette.

Il lorgne les deux prostituées qui repassent devant nous :

– C'est des nouvelles, ça se sent ! La plus claire n'est pas mal, n'est-ce pas ? Regarde comment elle marche, on dirait un poisson d'eau douce !

Comme je ne bronche pas, il prend soudain une voix très affectée, un peu à la limite de la vantardise :

– J'étais un réfugié, moi aussi. Et, avec les autres, on souffrait de plus en plus dans la brousse. Un jour nous avons entendu trois hélicoptères qui se rapprochaient. Le bruit a couru que c'étaient ceux de la communauté internationale. C'étaient en fait les hélicoptères de la compagnie française qui exploitait notre pétrole. Nous on s'est dit qu'on venait enfin nous aider pour nous tirer de cette situation. Nous sommes donc sortis de notre cachette à l'instar des souris qui venaient de comprendre que le chat qui les terrorisait n'avait en fait pas de griffes et de dents. On a commencé à pousser des cris de joie. On a dansé. On a applaudi. On s'est embrassés. On a crié : « Vive la France ! Vive la France ! Vivre la France ! » Dans cette joie, y en a qui ont bêtement crié : « Vive l'Amérique ! Vive l'Amérique ! Vive l'Amérique ! » Peut-être parce que c'est toujours les Américains qui libèrent les gens. Même les Français, c'est pas les Américains qui les ont libérés pendant la Deuxième Guerre mondiale, hein ? On s'en foutait que ça soit les Français ou les Américains, nous on était contents que des gens viennent nous libérer. On s'est dit : on va enfin faire l'amour dans de vrais lits, et les enfants vont naître à la maternité, pas au bord de la rivière comme c'était le cas jusqu'alors ! Finie, la guerre ! Vive la paix ! Et les hélicoptères venaient vers nous, comme ça...

Il imite avec ses bras les mouvements d'un hélicoptère et, depuis le comptoir du bar, le patron nous observe avec de gros yeux. L'inconnu s'en rend compte et baisse la voix :

– Monsieur l'écrivain, je te jure, les hélicoptères étaient maintenant là, immobiles, à quelques mètres seulement de nos têtes. On a pensé : ils vont nous balancer des sacs de riz, du lait, du sucre, du pain et de la viande comme ça se fait souvent. On se bousculait pour être les premiers à se jeter sur la nourriture. On se disputait, on se donnait des coups de coude. Les plus vieux ont dit qu'il fallait privilégier les enfants et les femmes. Et tu sais ce qui s'est passé, hein ? On a vu les portes des hélicoptères s'ouvrir, et c'étaient les Angolais qui étaient à l'intérieur de ces appareils. Pas les Français ! Pas les Américains ! Ces Angolais ont pointé leurs armes dans notre direction et ont ouvert le feu comme ça ! Même les oiseaux s'envolaient de partout, parce que eux aussi ils ne comprenaient rien à rien dans cette histoire ! Des rafales retentissaient continuellement. Les gens tombaient, se relevaient, couraient, plongeaient dans la rivière, se vautraient dans les marécages. Les militaires nous balançaient des bombes lacrymogènes et nous mitraillaient ensuite. Et les plus vieux des réfugiés hurlaient : « Cachez-vous ! C'est un traquenard ! »

Les clients derrière nous l'ont entendu hurler « Cachez-vous ! C'est un traquenard ! », mais cela n'interrompt pas pour autant l'inconnu, emporté dans son récit :

– Oui, j'étais chanceux, moi. Je courais comme un diable. Je ne regardais pas derrière moi. Je suis entré dans une grotte, et je suis resté à l'intérieur pendant des jours comme à l'époque de la préhistoire. Le pays était sous le contrôle du président nordiste grâce à ses alliés angolais. La guerre était donc finie puisque nous avions l'ancien président qui était revenu au pouvoir et avait délogé celui que le peuple avait élu. On nous a dit de sortir de nos grottes parce que l'heure était à l'unité nationale et que le président nordiste était là pour tout le pays, pas que pour les nordistes. Les gens quittaient petit à petit la brousse et rentraient chez eux. Moi quand je suis revenu à la maison ma barbe était si longue qu'elle balayait le sol. Lorsque je marchais je ressemblais à un zombie qui avait oublié où se trouvait sa tombe. J'avais presque perdu le sens de l'orientation parce que dans la forêt il n'y a pas de rues et d'avenues comme ici. Y a pas moyen de dire : « Va tout droit et prends la prochaine rue », non ! Là-bas on ne croise que des arbres, des montagnes et des rivières qui vont je ne sais où, et on dort là où on est sûr qu'il n'y aura pas de fauves ou de Pygmées cannibales…

Nos voisins de derrière sont de plus en plus choqués. Ils n'ont rien raté du récit de l'inconnu. Ils se lèvent pour partir. Le héros de la guerre s'interrompt un moment comme s'il avait peur qu'ils viennent lui demander des comptes parce qu'ils sont peut-être des nordistes.

— Menteur ! Tu as encore trouvé un pigeon pour t'écouter, c'est ça ? lance un de ces clients le doigt pointé vers l'inconnu.

Et, s'adressant à moi, le même client me conseille :

— Monsieur, assurez-vous que ce petit mythomane de sudiste paiera son plat, il est comme le renard de la fable de La Fontaine : il vit aux dépens de celui qui l'écoute ! Il a fait ça avec d'autres, il le fera avec vous. Il vous dira qu'il a été un réfugié, qu'il était dans la brousse, mais qui l'a vu là-bas ? C'est un branleur qui profite de la crédulité de ceux qui ne le connaissent pas ! Il n'a pas vécu de guerre civile sinon dans sa tête de malade mental !

Je m'attends à une réplique virulente de l'inconnu, mais il reste coi, le menton collé à la poitrine pendant que le groupe passe près de nous et sort du restaurant.

L'inconnu vide un verre plein et reprend :

— Tu as vu comment ce nordiste parle à un sudiste, hein ? Il croit que je n'ai pas vécu la guerre, moi ? Il croit que moi je suis incapable de payer l'addition ? Franchement ! Je vais la payer, rien que pour vous montrer comment ces gens du Nord sont de mauvaise foi et causent les embrouilles dans ce pays ! Ils sont tous comme ça, les nordistes ! Parce qu'ils sont au pouvoir ils veulent que nous autres on se taise ! Non, je ne me tairai pas, je continuerai à dire la vérité jusqu'à ce que le monde entier sache ce qui se passe dans ce pays ! Ils nous ont tués, nous autres de l'éthnie lari, et c'est un génocide qu'ils ont fait dans toute la région du Pool !

Se rendant compte que je n'avais dit aucun mot jusqu'alors il me demande :

— Au fait, tu es venu faire quoi dans ce pays en ruine à cause des nordistes ?

— Faire quelques rencontres littéraires, voir ma famille et écrire...

— Attends, attends un peu, j'aurais dû te le demander avant parce que c'est quand même très important : tu es nordiste ou sudiste ?

— Quelle importance ?

— Bon, je vais poser la question autrement : c'est le président Sassou Nguesso qui a payé ton billet et t'héberge ici ?

— Vous aviez dit que vous ne prononceriez pas de nom !

— Je m'en fous ! Réponds à ma question, monsieur l'écrivain : c'est Sassou qui t'a invité ?

– Non, la France et…

– C'est la même chose ! Ce que tu ne sais pas c'est que le président donne de l'argent à la France, et c'est avec cet argent qu'on t'invite ! Moi je sais tout ! Donc, je suis certain que tu es du clan de Sassou !

– J'admire votre certitude, mais c'est un raccourci dangereux que vous faites !

– Quel raccourci dangereux ? Moi je sais tout ! Est-ce que toi tu as fait la guerre comme moi, hein ? Tu étais où pendant que nous on mourait comme des cobayes, hein ? Moi j'étais dans la brousse, et c'est Sassou Nguesso qui nous tirait dessus avec ses amis angolais et français !

Il comprend que s'il continue sur ce ton je vais me lever et partir. Il calme donc sa hargne :

– Je m'excuse, cher écrivain, je m'emporte un peu trop vite, mais c'est la guerre qui cause tout ça… Au fond, qu'est-ce que j'en ai à foutre que tu sois du Nord ou du Sud ? Moi ce que je voulais te dire c'est que j'étais enfin sorti de la brousse puisque la guerre était finie et que les nordistes avaient repris le pouvoir. Tout semblait calme dans le pays. On revivait. On allait dans les bars, à la mer, partout. On oubliait petit à petit ce qui nous était arrivé. Cinq ans plus tard, nous avons enfin eu des élections, et le président nordiste soutenu par les Français et les Angolais a été sèchement battu ! On a sauté de joie. On l'a presque chassé du pays, et il est parti vivre en exil en France. C'était maintenant un sudiste qui nous dirigeait. Comme il était fâché contre les Français qui avaient soutenu le nordiste, il a confié l'exploitation de notre pétrole aux Américains. Et ça n'a pas plu aux Français parce que c'est quand même eux nos colonisateurs ! Et donc tous les jours ces Français allaient rendre visite à l'ancien président nordiste dans sa résidence à Paris. Ils lui promettaient qu'ils feraient tout pour le réinstaller au pouvoir. Mais nous on ne voyait pas comment un nordiste pourrait redevenir président dans notre pays. Les Américains étaient partout chez nous. Ils essayaient de nous apprendre l'anglais, mais ça ne marchait pas car les Français nous avaient donné leur mauvais accent pendant la colonisation. On a dit aux Américains qu'ils pouvaient exploiter notre pétrole comme ils le voulaient et que nous on n'allait pas apprendre leur anglais bizarre qui se parle dans le nez on dirait qu'on a la grippe. Eux ils s'en foutaient, ils signaient des contrats avec notre président du Sud, et ce président signait sans comprendre qu'il vendait tout notre pétrole présent et celui qu'on découvrirait dans le futur.

Cinq personnes en uniforme militaire entrent et s'installent dans le fond. L'inconnu les regarde quelques secondes. Il baisse la voix, conscient que cette fois s'il parle fort nous allons finir en prison tous les deux.

– Cinq ans plus tard il fallait organiser d'autres élections dans ce pays. Notre président du Sud a dit qu'il allait se présenter pour la deuxième fois. Mais l'ancien président du Nord est vite revenu de France pour se présenter lui aussi, avec le soutien des Français. Malheureusement ces élections n'ont pas eu lieu. Le président sudiste prétendait que les conditions n'étaient pas réunies pour procéder aux élections, et il a dépassé son mandat. L'ancien président nordiste lui a répondu qu'il fallait coûte que coûte faire ces élections. Voilà comment nous nous sommes lancés dans une deuxième guerre civile, celle qu'a perdue le président sudiste et qui a fait que les nordistes reprennent le pouvoir jusqu'à ce jour…

*

J'ai fini de manger depuis un moment, la tête remplie des histoires de guerres civiles et des insultes de haine proférées par mon hôte contre ses ennemis jurés : les nordistes. Difficile de placer un seul mot, l'inconnu est tellement persuadé de tout savoir que n'importe quelle conversation doit tourner autour de sa personne. Ma bouteille de bière est toujours pleine.

– Tu ne bois pas ta bière ?

– Ça ira.

Il rappelle la serveuse et lui tend la bouteille :

– Garde-la au frais, je la boirai moi-même demain !

Il consulte sa montre et s'écrie :

– Le temps passe vite ! Je m'excuse, je dois aller à une messe de La Source du Salut au quartier Fouks. Tu veux venir avec moi ? Tu sais, c'est pendant ces messes que j'attrape les nanas ! Tu fais semblant de prier, et tu chasses le gibier sans que les gens le remarquent ! Viens avec moi !

– Non, merci, je dois me reposer, demain j'ai une journée chargée du côté de mon ancien lycée…

Il demande l'addition que la serveuse s'empresse de nous apporter. Il fouille dans les poches intérieures de sa veste, puis dans celles de son pantalon :

– Merde ! Mon portefeuille ! On a volé mon portefeuille ! Ce sont les nordistes qui l'ont volé !

– Ils ne s'étaient pas rapprochés de nous et…

– Je les connais, les nordistes, ils sont capables de te voler à distance ! Écoute, mon frère, tu peux payer aujourd'hui et moi je t'invite dans la semaine ?

La serveuse et le patron ricanent depuis le comptoir

lorsqu'ils me voient sortir de l'argent et le déposer sur la table.

Je quitte le restaurant pendant que l'inconnu, qui me suit, me chuchote :

– Demain tu peux passer, je serai là. Tu as vu les deux prostituées de tout à l'heure ? Je vais les réserver pour nous deux. Toi tu prendras la plus claire de peau, moi je vais me sacrifier avec la noiraude, c'est pas grave. C'est moi qui payerai, ne t'en fais pas…

Le cercle des poètes disparus

En cette fin de matinée je suis devant le lycée où je fis trois années d'études secondaires entre 1981 et 1984. Parmi les visites à effectuer au cours de mon séjour, celle de cet établissement était marquée en rouge dans le calepin, tout comme celles de la case de ma mère et du cinéma Rex. Sans doute parce que j'opérais un lien indissociable entre ces trois lieux. Je suis allé à plusieurs reprises dans la maison de ma mère pour les origines et les personnages familiaux. J'ai tenu à revoir le cinéma Rex – tout au moins ce qu'il en restait – pour l'illusion collective qui nous saisissait dans cette salle dont la clameur n'a jamais cessé de résonner en moi.

Je franchis l'enceinte du lycée dans l'espoir de revivre cet instant où l'esprit s'aventurait loin de notre territoire dans sa collecte de connaissances universelles grâce à l'histoire du monde, à la géographie des contrées les plus reculées, aux signes alambiqués des mathématiques, aux phénomènes des sciences naturelles et à la découverte de l'imaginaire par le biais de la littérature.

J'avance le cœur alourdi par la remontée d'une appréhension inconsolable, la même que je ressentis autrefois lorsque, tournant le dos au collège – donc aux culottes courtes et aux sandales en plastique –, je mis pour la première fois les pieds en ces lieux, vêtu d'une chemise et d'un pantalon beige – la tenue scolaire d'alors – avec de vraies chaussures de ville que ma mère avait cirées la veille avant de m'indiquer comment je devais marcher pour ne pas trop vite les endommager, car elles devaient tenir toute l'année scolaire, et être utilisées l'année suivante.

Je me souviens que dans ce lycée, j'avais le sentiment d'avoir été parachuté dans un monde différent tel un oisillon inquiet égaré au milieu d'autres espèces de volatiles au pennage déjà endurci. Je m'abritais d'ordinaire à l'ombre des cocotiers de la cour centrale en attendant la sonnerie de la fin de la récréation.

En classe, pendant les premières semaines, convaincu que je n'avais pas le niveau de mes camarades, je m'installais au fond de la salle, jusqu'au jour où le professeur de chimie – une matière que je redoutais – me somma de rejoindre le premier rang parce que, argua-t-il, ma grande taille était appropriée pour l'aider à exhiber les éprouvettes lors des travaux pratiques. Je venais d'avoir seize ans et, à la différence de certains élèves de mon âge qui se liguaient contre leurs parents, ma crise d'adolescence s'extériorisait plutôt par une voix qui me chuchotait que l'enseignement secondaire me détacherait de ma famille puisque c'était dès le lycée que s'opérait la sélection de ceux qui un jour partiraient ailleurs, loin de leur pays pour ne plus revenir. Cette impression était amplifiée par l'océan Atlantique juste derrière l'enclos de l'école et le vent qui secouait les cocotiers de la cour centrale. Voir en permanence la mer, les marins polonais et leurs tatouages grossiers, les pêcheurs béninois excités par une pêche abondante, les albatros apeurés par la hauteur des vagues et les navires amarrés au port avec leurs voiles épuisées me détachait peu à peu de cette ville. Au fond, je couvais le rêve de partir sans savoir où, comment ni quand. Je voulais être solitaire au milieu de la foule, invisible là où je dépassais mes camarades d'une bonne tête au point que j'étais taxé de redoublant alors que je comptais parmi les plus jeunes.

Parfois, afin d'échapper aux quolibets, une heure avant les cours, j'errais pieds nus sur la grève. Après avoir marché pendant quelques minutes je rebroussais chemin en m'appliquant à poser le pied là où j'avais auparavant laissé des traces. Je savais que les élèves qui passeraient plus tard par là seraient affolés et s'imagineraient qu'un monstre marin mi-homme mi-animal rôdait dans les parages avec ses pieds aux orteils devant et derrière qui lui servaient à semer ceux qui songeraient à le traquer. Ces élèves décamperaient en hurlant de toutes leurs forces pendant que moi, dans mon coin, je contiendrais mon rire le plus fou...

*

Au-dessus du bâtiment le plus élevé du complexe scolaire il y a une inscription qui me surprend : *Lycée Victor-Augagneur.* J'ai beau démêler les souvenirs entrelacés par l'émotion de me retrouver ici vingt-huit ans après, je suis certain que l'établissement ne s'appelait pas ainsi au temps où je le fréquentais. Le tout premier lycée de la ville a donc repris sa dénomination des années 1950, rendant hommage à Jean-Victor Augagneur, médecin de formation, maire et député de Lyon, puis gouverneur de Madagascar ayant par la suite occupé plusieurs postes ministériels dans la IIIe République française avant d'être nommé gouverneur général de l'Afrique-Équatoriale française (A-ÉF) en 1919. Le nom de cet homme, bien visible sur cette bâtisse principale, surplombe l'océan Atlantique. Combien de passants le remarquent et prennent le temps de s'interroger sur le parcours de ce personnage ? Pour beaucoup, cet édifice a toujours été là, peut-être même avec ces lettres capitales cimentées sur son faîte. Je ne m'empêche pas de me questionner sur les raisons de cette « exhumation » du colon français sans doute méconnu dans son pays d'origine malgré les fonctions qu'il a occupées. Certes, la ville de Lyon lui a rendu hommage depuis les années 1930 en baptisant « quai Victor-Augagneur » une voie située non loin de l'Hôtel-Dieu de Lyon, dans le IIIe arrondissement, mais était-ce suffisant pour que son nom, toutes proportions gardées, soit aussi populaire que celui d'un Jules Ferry, figure emblématique de l'école publique obligatoire et laïque, mais aussi défenseur acharné de la colonisation française ?

Il est là, l'indéboulonnable Victor Augagneur, tiré du purgatoire, sans tambour ni trompette, par les Ponténégrins. Ici comme dans l'ensemble de notre pays, les autorités politiques sont persuadées que la reconquête de notre mémoire – et par conséquent de la dignité de notre nation indépendante depuis le 15 août 1960 – passe par le rétablissement des choses anciennes. Peu importe ce que cela pourrait refléter comme symbole. Victor Augagneur a rejoint ainsi la liste des personnages français rescapés de la politique nationaliste de notre pays. Il y a, entre autres, à Brazzaville, la case de Gaulle, des noms de rues en l'honneur des militaires et hommes politiques français : Jean Bart, François Joseph Amédée Lamy, Henri Moll, Félix Éboué, Jules Grévy, etc. Le « stade Marchand » est dédié à Jean-Baptiste Marchand, ancien officier de tirailleurs sénégalais, chef de la mission d'exploration dénommée « Mission Congo-Nil » dont le but était de contrecarrer les Britanniques sur le Nil et d'installer un nouveau protectorat dans le sud de l'Égypte. Une expédition qui échoua face à la puissance incomparable de l'armée britannique. Enfin, à Pointe-Noire, l'établissement hospitalier Adolphe-Sicé dans lequel ma cousine Bienvenüe est hospitalisée doit ce nom à un médecin militaire, Marie Eugène Adolphe Sicé, descendant d'un gouverneur des colonies et qui, après avoir servi dans l'infanterie coloniale, se retrouva en Afrique-Équatoriale française où il dirigea à partir de 1927 l'Institut Pasteur de Brazzaville…

*

Pendant que je pénètre dans la cour j'ai une pensée profonde pour ce témoin inamovible, Jean Makaya, notre « surveillant de couloir » de l'époque. Il n'est plus de ce monde, me dit le nouveau surveillant général, en insistant pour guider mes pas dans ce qui, à mes yeux, ressemble maintenant à un labyrinthe. Nous entrons dans son petit bureau qui donne sur le couloir principal menant vers la cour. Il me parle de son prédécesseur qu'il nomme de temps à autre « le regretté défunt » avec un air de respect profond. Il me montre une coupure de presse collée au mur et signée par un certain Pépin Boulou :

– Tu te souviens de Pépin Boulou ?

J'hésite un moment et fais semblant de réfléchir. Le surveillant général a compris mon embarras :

– Si, tu dois le connaître ! Il me parle beaucoup de toi. Tous les deux vous avez été dans la même classe du bâtiment A, celui des littéraires, et vous avez eu le bac en lettres et philo en 1984, j'ai bien vérifié dans nos archives quand on m'a appris que tu allais passer aujourd'hui. Bon, Pépin n'a pas eu la chance d'aller en France comme toi, il enseigne maintenant ici. Il fallait bien que quelques-uns restent au pays pour recevoir le flambeau des mains des anciens ! Dommage qu'il soit en congé, il aurait été enchanté de te revoir…

Je me rapproche du mur où est affiché l'article rendant hommage à Dipanda. Je ne parcours que le dernier paragraphe, me disant que dans les oraisons funèbres et les hommages de tout genre c'est souvent le dernier paragraphe qui est le plus frappant. Et c'est bien le cas, puisque je lis ce qui suit :

En 1994, c'est le 40ᵉ anniversaire du lycée Victor-Augagneur. L'événement passa totalement inaperçu. Cependant, ce qui ne passa pas inaperçu c'était le départ à la retraite de Jean Makaya alias « Dipanda ». Ce surveillant subalterne, au dynamisme désormais légendaire, a travaillé dans ce lycée de 1960 à 1994. Physionomiste, intransigeant et toujours sur la brèche, ce lampiste a rendu, trente-quatre ans durant, de bons et loyaux services à ce lycée et à l'État congolais en général. Véritable fossile de ce lycée, le surveillant de couloir portant le surnom de « Dipanda » a vu défiler onze proviseurs et la majorité des promotions de lycéens qui ne pouvaient l'ignorer. Chacun de ces lycéens aura plus d'une anecdote croustillante à vous raconter à son sujet.

Né vers 1939, il meurt dans l'indifférence presque totale de ses concitoyens en 1998 ; soit quatre ans après son départ à la retraite. Le 29 juillet 2002, à l'initiative de Ferdinand Tsondabeka (l'actuel proviseur), un vibrant hommage lui a été rendu. Depuis lors, le bâtiment A, traditionnellement réservé à la série littéraire, porte son nom. Comme l'écrivait le célébrissime poète Victor Hugo : « calme, il écoutait dans sa tombe le monde qui parlait de lui ». D'un seul coup, l'oubli et l'indifférence furent définitivement réparés.

Je pense à une « anecdote croustillante au sujet de Dipanda » et n'en trouve pas une dans l'immédiat. Quelques bribes reviennent, certes, mais elles sont si éparpillées que je ne vois que de très loin dans le temps l'image d'un homme que nous trouvions sans âge, dévoué et qui nous intimidait avec un bâton à la main droite qu'il pouvait utiliser s'il jugeait qu'un élève lui avait manqué de respect. Je le revois aussi debout devant le portail en train de vérifier que la tenue scolaire des élèves était propre, bien repassée et que certains malins ne s'amusaient pas à redresser le col de leur chemise et à plier les manches jusqu'à exposer leurs biceps comme le faisaient les jeunes « voyous » des quartiers populaires. À chaque rentrée scolaire Dipanda rassemblait les nouveaux venus dans la cour et pérorait pendant une heure sur la chance qu'ils avaient de s'asseoir sur les bancs de cette institution :

– Ce lycée est un pan de l'histoire de la ville ! Et même du pays et de l'Afrique entière !

Il ânonnait alors les noms des personnalités ayant fréquenté l'institution : des Premiers ministres, des généraux de l'armée, des directeurs de grandes entreprises. Il n'oubliait pas de préciser que c'était en 1963 que la première enseignante congolaise de l'établissement, Aimée Mambou Gnali, fit ses premiers cours :

– Mme Gnali, quelle femme ! Elle est arrivée trois ans après ma nomination comme surveillant ! Je l'ai beaucoup aidée car les petits garçons sont parfois terribles avec les femmes !

Dipanda s'exprimait comme beaucoup de ces nostalgiques qui estimaient que le lycée Victor-Augagneur des années 1950-1960 était le « lycée Louis-le-Grand » des tropiques. Les mêmes n'hésitaient pas à qualifier le voisinage de l'établissement de « Quartier latin » du Congo, et de souligner comment l'institution incarnait la rigueur, la droiture, en somme une école où seul le mérite séparait le bon grain de l'ivraie.

Nous prenions de la distance devant cette adoration trop persistante, d'autant qu'elle venait de ceux qui, en réalité, regrettaient l'école coloniale et voyaient tout sous le prisme du passé. Ainsi, lorsqu'une salle de classe se dégradait, on les entendait se plaindre dans les couloirs, loin de l'oreille du proviseur Pierre Justin Makosso :

– Tout ça, c'est parce que ce sont les Noirs qui dirigent maintenant ce lycée ! Si les Blancs étaient encore là ils auraient réparé la toiture et repeint les murs !

Selon eux, Victor-Augagneur était la meilleure école au monde avant que l'ère moderne vienne chambouler les choses dans le mauvais sens. Ils prétendaient que le certificat d'études primaires d'autrefois équivalait au baccalauréat de notre temps, et le baccalauréat colonial n'avait rien à envier aux trois années d'études que dispensait l'université Marien-Ngouabi à Brazzaville. Il y avait comme une attitude de résignation qui poussait ces anciens colonisés à s'imaginer que le Nègre était par essence paresseux, désordonné, inconscient et, dans ses innombrables défauts, l'homme noir avait sapé un ordre occidental qui orientait pourtant nos futures nations dans une bonne direction.

Ces nostalgiques se rappelaient-ils au moins que c'était le colon Victor Augagneur, propulsé à la tête de l'Afrique-Équatoriale française, qui imposa la réquisition de tous les hommes valides sur le trajet où se déroulait la construction de la ligne du chemin de fer Congo-Océan ? Ce chantier funeste causa des pertes humaines chiffrées à plus de vingt mille morts et une multitude de mutilés ou d'estropiés. De ce péril il reste un des héritages les plus visibles pour les Ponténégrins : la gare ferroviaire de Pointe-Noire. Celle-ci avait été imaginée par l'architecte français Jean Philippot, le même qui conçut la gare de Deauville, d'où l'apparente ressemblance que certains constatent entre les deux constructions.

Il ne serait pas exagéré d'insister que le gouverneur Victor Augagneur était un des promoteurs de cet esclavage moderne qui poussa les populations congolaises à déserter leurs terres, à se cacher dans la brousse dans l'espoir d'échapper à ce qui s'apparentait à une mort programmée. Victor Augagneur déploya tous les moyens pour parvenir à la mission qui lui tenait tant à cœur : faire de Pointe-Noire le terminus du réseau Congo-Océan, donc la plaque tournante du Moyen-Congo dont cette ville allait devenir la capitale afin d'éviter à l'administration coloniale française une dépendance vis-à-vis du réseau de transports du Congo belge avec sa ligne ferroviaire reliant Matadi à Léopoldville.

De son vivant, Victor Augagneur n'eut pas le privilège de voir son nom gravé au-dessus du bâtiment principal de ce lycée ponténégrin. Celui-ci fut inauguré en 1954, soit plus de deux décennies après sa mort. Dans un premier temps on l'appela « collège classique et moderne ». On s'aperçut qu'il manquait un vrai nom, et on rectifia le tir : « collège classique et moderne Victor-Augagneur ». Trop redondant au goût de certains. On choisit l'appellation la plus simple : « lycée Victor-Augagneur ».

La valse des changements de noms n'était pas pour autant terminée, et rien ne garantissait une postérité au gouverneur Victor Augagneur dans la ville maritime. Le régime marxiste-léniniste de « l'Immortel » Marien Ngouabi arrivé au pouvoir en décembre 1968 allait bousculer les choses. En effet, durant son règne, on prônait une « indépendance des esprits » et une solidarité avec les frères communistes du monde entier, les prolétaires de tous les pays devant s'unir pour la lutte finale. Il fallait avant tout éradiquer la « colonisation mentale », et donc procéder au nettoyage systématique de ce qui rappelait de près ou de loin la domination de l'homme blanc, et surtout le nouvel ennemi : le capitalisme et son idéologie d'exploitation de l'homme par l'homme. Cette politique devait commencer par le sommet et, sous Marien Ngouabi, le pays n'allait plus s'appeler république du Congo, mais « république populaire du Congo ». Les établissements scolaires, les artères et les gares ferroviaires aux noms des colons furent peu à peu rebaptisés aux noms des héros congolais ou des promoteurs du communisme. Le collège d'où je venais d'obtenir le brevet d'études se dénommait « collège des Trois-Glorieuses » en mémoire des trois journées – les 13, 14 et 15 août 1963 – pendant lesquelles les syndicalistes congolais et leurs sympathisants poussèrent à la démission Fulbert Youlou, prêtre polygame de l'Église catholique romaine, premier président de notre pays qui tentait de nous imposer le monopartisme.

Lorsque je fus admis en classe de seconde en 1981, l'établissement avait déjà changé de nom et s'appelait « lycée Karl-Marx » depuis 1975. Le président Marien Ngouabi fut assassiné par son entourage en 1977, mais les hommes politiques lui ayant succédé poursuivirent à la lettre sa ligne du « socialisme scientifique » mâtiné d'un peu de capitalisme tropical. On fit appel aux Soviétiques pour nous enseigner les mathématiques, la chimie, la physique, et la philosophie. Bien évidemment nous ne jurions plus que par Lénine, Engels et Marx, les autres philosophes comme Platon, Kant ou Hegel, trop idéalistes selon nos autorités, étaient proscrits et n'étaient évoqués que pour les opposer aux « vrais » philosophes, ceux qui avaient initié et décortiqué le « matérialisme historique » et la « dialectique », notamment les auteurs du *Manifeste du Parti communiste* dont les portraits trônaient dans chaque salle de classe et dans les principales avenues et les ronds-points du pays aux côtés de la photo officielle de celui qui était à la fois président de la République, chef de gouvernement et président du Comité central du parti unique, le Parti congolais du travail (PCT). Ce voisinage systématique de notre chef de l'État avec Karl Marx et Engels nous donnait l'impression qu'ils étaient tous les trois des penseurs sur un même pied d'égalité, même si de notre président nous n'apprenions que des discours et non des textes dont la profondeur philosophique nous aurait épatés. Pour le Congolais moyen, le président était aussi philosophe que Marx et Engels. La pensée marxiste-léniniste pouvait donc être étudiée dans les discours du chef de l'État au lieu de perdre son énergie à lire un pavé comme *Le Capital* de Marx ou un livre bref, mais tout de même profond, comme *Ludwig Feuerbach et la fin de la philosophie classique allemande* d'Engels. Les élèves citaient alors le plus souvent le président qui lui-même avait cité Marx et Engels, et c'était ainsi que nous apprenions ce que certains qualifiaient à voix basse de « philosophie de la misère ».

Cette influence de l'Union soviétique sur notre éducation eut pour conséquence directe le recul de deux langues que nous estimions propres aux capitalistes et qu'il fallait bannir : l'anglais et l'espagnol. À se demander pourquoi nous continuions à utiliser le français, laissant presque sous-entendre que celui-ci ne venait pas du monde capitaliste et était une langue congolaise.

Toujours est-il que le russe devint la langue que chacun devait privilégier, d'autant que les autorités de l'URSS offraient aux Congolais des bourses à la pelle malgré la rareté des candidats qui, pour la plupart, rêvaient en secret d'aller poursuivre leurs études en France et d'éviter d'augmenter le nombre de ces diplômés au rabais qui revenaient de Moscou et étaient affectés à l'École du Parti pour dispenser l'idéologie marxiste-léniniste. Afin d'inciter les élèves à regarder vers l'Union soviétique, certains professeurs, membres du PCT, lâchaient :

– Qu'est-ce que vous avez à foutre avec la langue anglaise puisque vous n'irez jamais en Angleterre ?

Le surveillant général n'est pas étonné que je demande à rencontrer mon ancien professeur de philosophie qui est sans conteste celui qui aura le plus marqué les élèves de la « série A » de ma génération dans ce lycée. Ne connaissant pas son prénom, nous l'appelions « monsieur Nimbounou » ou, en cachette, par son sobriquet « Nimble ». On le croisait le long de l'avenue de l'Indépendance, devant un abribus, avec son attaché-case sur lequel il avait collé une image du *Penseur* d'Auguste Rodin. Quand on lui posait la question du symbole que cela représentait, il répondait :

– Dans la vie nous devons sans cesse être interpellés par la pensée des grands auteurs. *Le Penseur* de Rodin est l'exemple de la réflexion permanente, et l'avoir avec moi m'impose une discipline spirituelle que même la religion ne pourrait procurer à ses ouailles…

Le surveillant général me dit que Nimble n'enseigne plus la philo, qu'il est maintenant inspecteur des académies. D'ailleurs, il se trouve dans l'enceinte où se déroule une réunion de professeurs.

Nous traversons la cour et nous orientons vers la salle de réunion. Devant l'entrée, le surveillant général hésite, me demande de l'attendre dehors et entre sans frapper. En moins de deux minutes il ressort, suivi d'un homme en costume.

Je reste un instant immobile, peut-être encore sous la fascination, celle que nous ressentions autrefois lorsque cet enseignant se pointait devant la classe avec son attaché-case et que, tout d'un coup, cessait le bavardage. Il entrait d'un pas lent, posait ses affaires sur une table et s'installait sur une chaise près de la fenêtre. Il ouvrait un livre et entamait le cours sans un seul toussotement dans la salle. Ses enseignements étaient perçus comme une incitation à l'indépendance de l'esprit, loin des mots d'ordre du Parti. Mettant de côté Karl Marx et Engels, le voilà qui convoquait pêle-mêle Descartes, Montesquieu, Voltaire, Platon, Kant et Nietzsche. La philosophie nous apparaissait telle une extraordinaire odyssée agrémentée d'anecdotes distrayantes comme celle de Diogène de Sinope qui vivait dans un tonneau. M. Nimbounou se faisait un malin plaisir à nous expliquer comment ce philosophe était un pourfendeur du conformisme au point d'aboyer tel un chien, de pisser et de se masturber en public. Et lorsqu'il évoquait le culte des plaisirs avec Épicure, nous avions le sourire aux lèvres, et lui aussi, avec son air malicieux que je retrouve intact aujourd'hui. Il se mettait debout, affectait un air profond et nous disait :

– Épicure avait tout compris, lui qui définissait le plaisir comme une absence de douleur. Si je partage sa définition, il reste que la perversion des humains a fait que parfois le plaisir, pour certains, n'est atteint qu'avec la douleur. C'est vous dire qu'à chaque instant vous devez rechercher dans toute thèse avancée son antithèse et procéder par la suite à une synthèse qui reflète votre indépendance d'esprit...

Hypnotisé par son savoir, nous avions créé un cercle de discussion dans le lycée. Durant nos échanges où il était aussi question de poésie, nous l'imitions en lisant des pages entières d'une philosophie « capitaliste » qui n'était enseignée nulle part ailleurs que dans notre classe. Nous fûmes déçus de constater que l'étude du matérialisme historique ne nous procurait pas la même joie, le même enthousiasme que la philosophie classique. Mais M. Nimbounou ne pouvait pas tourner le dos à un programme imposé par le ministère de l'Éducation. Alors il survolait la pensée de Marx et d'Engels et revenait très vite sur ce qu'il estimait comme la vraie philosophie, celle des écoles de l'Antiquité.

*

Nous discutons depuis une dizaine de minutes, non loin de la salle de réunion. M. Nimbounou me parle de mes livres dont il a lu quelques-uns :

– De tous, celui que je préfère c'est *Mémoires de porc-épic*. Peut-être parce que vous avez posé, sans le savoir, des questions philosophiques. Les animaux peuvent-ils être des philosophes ? La philosophie ne relève-t-elle que du domaine de la pensée humaine ? C'est un peu ce que je vous enseignais à l'époque...

Le surveillant général acquiesce d'un hochement de tête pendant que, pour changer de sujet, je fais savoir à Nimble que je le croyais à la retraite.

Il sourit :

– Ce pays n'a pas encore assez de philosophes pour que je me retire. Et j'ai bien peur que jusqu'à ma mort, certains continuent à croire qu'il est possible de vivre sans philosopher...

Au moment de le quitter, je sors une enveloppe et la lui tends. Il sourit de nouveau et l'empoche. On entend dans la salle de réunion une voix dire :

– Et nous, on ne nous laisse rien ?

Nimble se retourne, surprend certains de ses collègues qui nous guettent à travers les persiennes.

— Il n'a pas été votre élève, c'est ça la différence, lance-t-il à leur adresse.

Il me prend dans ses bras et me murmure :

— Je dois retourner à la réunion. Cette visite m'a fait très plaisir... Ne l'oublie pas : certains philosophes n'ont fait qu'interpréter le monde, maintenant il s'agit de le transformer. C'est peut-être la seule leçon que j'ai retenue d'Engels, pour le reste il vaut mieux privilégier la philosophie de l'Antiquité...

Il regagne la salle de réunion pendant que nous revenons sur nos pas et que le surveillant général me demande à voix basse :

— Qu'est-ce qu'il y avait dans cette enveloppe ?

— Un billet pour qu'il prenne sa bière.

— Il ne boit pas...

— Il pourra prendre de la limonade au moins !

À la sortie du lycée, le surveillant général a le visage sombre :

— Tu viendras encore nous rendre visite un jour ?

— Bien sûr !

— Mais quand ? Dans vingt-huit ans ? On sera tous morts, et peut-être que l'établissement ne s'appellera plus Victor-Augagneur ! Moi-même j'aurai rejoint le regretté défunt Dipanda là-haut...

Sans conviction, je lui réponds :

— J'essaierai de revenir avant vingt-huit ans...

Les dents de la mer

Rares sont les Ponténégrins qui s'aventurent à cet endroit du port où je me risque. C'est Placide Moubembe, mon ami d'enfance, qui, à ma demande, m'a conduit jusqu'ici. Il préfère d'ailleurs rester un peu à distance.

– Ne va pas plus loin ! hurle-t-il de plus en plus saisi par la panique parce que j'avance petit à petit vers l'eau.

Dans sa voiture, tout au long du trajet il me rappelait de faire attention. Et il me donnait des consignes strictes :

– On pourra sillonner tout le port comme tu voudras, mais de grâce n'allons pas à ce lieu maudit où il y a plein de rochers. Des choses bizarres se passent là-bas. Je n'ai pas envie que quelque chose nous arrive…

Je me disais qu'il faisait allusion à cette époque où nous nous aventurions le long de la plage dans l'espoir de ramasser un peigne abandonné par une sirène, la fameuse Mami Watta. La légende rapportait que celui qui le dénicherait deviendrait très riche. Les Ponténégrins s'imaginaient alors que les plus grandes fortunes de la ville étaient forcément tombées sur le peigne de cette femme nantie d'une queue de poisson et de longs cheveux en or. Du coup, les habitants des quartiers populaires se ruaient dès l'aube du côté du wharf où elle était censée habiter. Les plus crédules décrivaient d'ailleurs les traits de ce personnage aquatique avec une grande précision dans les détails, comme s'ils l'avaient vu. Elle était une blonde, ou alors une Noire, ou peut-être une femme à la peau d'argile. Elle était gigantesque, surgissait d'un fossé béant au milieu de la mer et venait se reposer à quelques centimètres du wharf déserté par les navires. De ses yeux perçants elle éclairait d'abord toute la Côte sauvage avant de venir s'étendre sur le sable et de peigner sa chevelure. À quelle heure fallait-il se lever pour la croiser ? Certains disaient aux alentours de minuit, voire deux heures du matin. D'autres soutenaient que c'était vers quatre heures du matin. Et personne ne se risquait pour autant dans les parages à ces heures-là.

Non, Placide ne faisait pas allusion à Mami Watta, mais à un autre mystère :

— Cet océan abrite des choses dans son ventre… Mon frère, la mer reste dangereuse et ne connaît pas de pitié. Est-ce que tu sais pourquoi l'eau est salée ?

— J'ai déjà entendu ça…

— Oui, le goût salé de la mer, c'est à cause des larmes de nos ancêtres qui pleuraient pendant le voyage funeste de la traite négrière.

Après avoir franchi l'entrée du port et garé la voiture, il a pris un air inquiet :

— C'est un mauvais jour pour traîner près de la mer. Il n'y a presque personne, les bateaux ressemblent à des fantômes qui nous regardent et qui n'hésiteront pas à nous pousser dans l'eau. Je ne vais pas aller près des rochers…

J'ai tellement insisté qu'il a fini par capituler :

— Bon, on y va, mais on ne s'approche pas trop !

*

Autour de moi il y a ces rochers sur lesquels viennent mourir les vagues. À mon approche, la mer se calme tout d'un coup. Je ne vois pas ce que Placide redoute dans un lieu aussi tranquille où n'importe quel touriste rêverait de passer tout l'après-midi.

Je me retourne : Placide agite une main pour que je revienne vers lui, mais je ne bouge pas et contemple cette étendue marine en m'imaginant ce qu'elle contient dans ses profondeurs.

Un cormoran se pose non loin de moi, je tourne la tête et l'observe juste au moment où une vague gigantesque venue de je ne sais où s'écrase sur les rochers et mouille mon pantalon. De loin, une autre, plus impressionnante, arrive à une allure vertigineuse. Je recule et cours rejoindre mon ami dont la terreur statufie les traits du visage :

– Qu'est-ce que je t'avais dit ? Tu as vu ? Tu penses que c'est normal, ces deux vagues ? De ce côté-ci de la mer, c'est le royaume des ténèbres, elle a des dents et broie tous ceux qui perturbent sa quiétude. C'est aussi à cet endroit que les corps des noyés sont retrouvés. Tu peux mourir n'importe où dans ces eaux, ton corps ne sera repêché qu'ici ! Tous les sorciers de la ville viennent faire leurs trucs là, et c'est pour ça que je ne voulais pas qu'on s'approche trop de cette zone de la mort. L'eau a l'air paisible, mais dès qu'il y a quelqu'un sur ces rochers, elle s'agite et le dévore, telle une vague qui peut avoir la taille d'un immeuble à cinq ou six étages, crois-moi !…

Le cormoran que j'ai aperçu tout à l'heure passe au-dessus de nos têtes. Placide suit son envol et tire une conclusion qui me glace :

– Ces oiseaux travaillent de concert avec les génies de la mer. C'est des complices, c'est eux qui signalent la présence des gens aux monstres marins ! Ils sont là pour distraire, et quand tu les regardes trop, tu es pris de vertiges et tu finis dans le ventre de la mer ! L'oiseau qui vient de passer est déçu parce qu'il n'a pas eu ce qu'il souhaitait : il te voulait ! Écoute, rentrons, c'est mieux d'aller prendre un pot dans le quartier Rex…

*

Le soir, après un pot au Paysanat, Placide m'a déposé devant le bâtiment de l'Institut français. Je ne parvenais pas à fermer l'œil. Je pensais à ces deux vagues et me demandais ce qui se serait passé avec la troisième si j'étais resté sur les rochers…

Je n'ai pas le souvenir de m'être baigné sur la Côte sauvage pendant mon adolescence. Je ne m'y aventurais avec les autres gamins que dans l'espoir de rapporter à ma mère des sardines, des chinchards ou des soles que nous donneraient les pêcheurs béninois en échange de notre aide lors du déchargement de leurs pirogues ghanéennes. Nous y allions aussi dans le dessein secret d'épier les femmes à moitié nues, en particulier les Blanches dont les adultes prétendaient qu'elles ne savaient pas cacher leur « Pays-Bas » et se livraient à une exhibition au moment où elles se passaient la crème solaire sur le corps. Notre curiosité était à la lisière de l'obsession car nous voulions coûte que coûte vérifier si les blondes avaient un pubis également blond et si les rousses l'étaient aussi « en bas ». La pilosité était si adulée par les grandes personnes qu'on les entendait chuchoter : « J'ai baratiné une fille aujourd'hui, mais qu'est-ce qu'elle est belle ! Elle a des poils partout, et c'est long, luisant et droit ! »

Évidemment, puisque ces femmes s'épilaient avant d'aller s'exposer au soleil, pour parvenir à apercevoir quelque chose nous devions nous rapprocher d'elles.

Surprises par notre invasion, elles nous traitaient de tous les noms d'oiseaux marins et allaient se plaindre auprès du gardien de la Côte sauvage qui nous évinçait de la plage.

Si beaucoup comme moi ne s'étaient jamais baignés dans cette mer, c'était parce que nous suivions à la lettre les recommandations des féticheurs du quartier contre les risques de la perte de notre force physique. En effet, nous allions souvent les consulter, et ils nous fabriquaient des gris-gris destinés à nous rendre invincibles lors des bagarres. Avec ces protections, lorsque vous asseniez un coup de tête à votre adversaire il tombait dans les pommes ou était saisi d'étourdissements qui le condui-saient à ramasser les ordures autour de lui. On prétendait que certains de ces gris-gris fabriqués dans les villages les plus reculés du sud du pays comme Mayalama, Mpangala ou Boko étaient si puissants que lorsque vous gifliez un arbre les fruits encore verts tombaient et les feuilles s'asséchaient. À partir de quatorze ans la plupart des gamins se laissaient tenter par ces fétiches. Il suffisait de se rendre chez le féticheur avec un litre de vin de palme, un autre d'huile de palme, un paquet de Gillette, des noix de cola, des petits piments et du charbon. L'initié sortait son arsenal d'amulettes, murmu-rait des paroles obscures, allumait des bougies et vous demandait de lui tendre vos poignets. Il se saisissait d'une lame Gillette et pratiquait sur chacun de vos poignets trois petites entailles. Alors que le sang commençait à couler, il appliquait dessus une poudre noire et piquante. Il ne fallait pas crier et montrer que la puissance entrait en vous. Pour vaincre la douleur il vous demandait de mâcher de la noix de cola et d'avaler un verre de vin de palme. On lui payait le prix de son travail, et il énumérait les choses à ne pas faire : ne pas regarder sous le lit, ne pas poser en premier le pied gauche en se levant du lit, ne pas s'approcher des femmes, et surtout ne pas se baigner sur la Côte sauvage. Comment vérifier que la puissance vous habitait ? Le féticheur vous giflait à plusieurs reprises. Au bout d'un moment, une transe parcourait votre corps et vous mettait hors de vous. Il vous tendait ensuite une bouteille vide et vous demandait de la fracasser contre votre tête. La réussite était totale si le récipient en verre éclatait sans vous blesser. Par la suite, il vous appartenait d'aller chercher noise à quelqu'un dans la rue afin d'être certain que vous étiez aussi fort que Zembla, Tarzan et Blek le Roc réunis…

En réalité la Côte sauvage a toujours été l'objet des spéculations les plus sinistres de la part des Ponténégrins. Dans l'esprit de ceux-ci la mer était l'endroit où se réunissaient les sorciers de la ville pour dresser la liste de ceux qui allaient mourir au cours de la nouvelle année. Du coup, une mort qui survenait dans ce lieu était perçue comme un mystère dont la clé était protégée dans les grands fonds océaniques où résidaient d'autres esprits maléfiques. Ceux-ci avaient pris la morphologie de la faune abyssale et se nourrissaient de chair humaine. En somme, dès qu'un corps flottait au-dessus de l'Océan, ces créatures tendaient leurs bras de pieuvres géantes et l'attrapaient pour l'entraîner dans la plaine abyssale où ils le dévoraient en toute quiétude.

Dans les pages des faits divers de nos quotidiens d'alors on recensait des morts par noyade qui, à la fin, se révélaient être des sacrifices quelquefois initiés par la famille du défunt. Beaucoup de ces noyés étaient des albinos, la population étant persuadée qu'ils possédaient des pouvoirs surnaturels et que, par exemple, coucher avec une fille albinos redonnait la virilité à l'homme ou le rendait riche. L'acharnement contre les albinos faisait perdre de vue à ces sacrificateurs que l'albinisme n'est pas une malédiction, mais une maladie héréditaire qu'on retrouve aussi bien chez les humains que chez certains animaux tels les amphibiens ou les reptiles. Complices de cette réalité sociale qu'on nous inculquait dès le bas âge, lorsque nous étions en face d'un albinos nous l'imaginions déjà comme un futur noyé dont le corps, au meilleur des cas, serait retrouvé sur la plage si les créatures subaquatiques étaient occupées à dévorer les précédentes victimes. Les charlatans de tout bord s'engouffraient dans cette brèche, décrétant que l'expiation la plus efficace ne pouvait être opérée que sur ces individus dont la peau claire et les yeux incolores, rouges, bleu clair, orange ou violacés suffisaient pour leur imputer les malheurs de la communauté. La justification avancée ne variait guère : ces albinos n'étaient pas nés ainsi par hasard, ils étaient des Blancs ratés qui, par malchance, avaient échoué chez nous et, de toute façon, en les jetant à la mer ils retourneraient chez eux en Europe où ils retrouveraient la vraie couleur de leur peau. La mer était par excellence l'espace où pouvait se réaliser ce retour au bercail. Parce que, justement, c'était par les eaux que le Blanc avait débarqué sur nos côtes pour prendre les Nègres et les emporter loin, là d'où seuls les albinos sont revenus, mais avec une étrange couleur de peau. En les renvoyant en Europe on leur rendait donc service.

Dans ces conditions, nous n'étions pas du tout étonnés de ne pas voir errer de gamins albinos avec nous le long de la Côte sauvage. Leurs parents, lorsqu'ils tenaient vraiment à leurs enfants, préféraient les cloîtrer à la maison puisque même dans la rue ils n'étaient pas à l'abri des jets de pierres, sans compter les chiens qui s'y mettaient à leur tour et aboyaient comme s'ils étaient en face d'un monstre.

La Côte sauvage avait également avalé d'autres individus lâchés sans scrupules dans les eaux : les paralytiques. L'image était pour le moins sordide lorsque le lendemain d'un tel acte la mer retenait le corps et restituait le fauteuil roulant du défunt. Quelqu'un le ramassait pour aller le revendre dans un des marchés des quartiers populaires sans qu'on lui demande la provenance de sa marchandise déjà détériorée. Au regard du nombre impressionnant de handicapés qui se traînaient par le séant dans la ville, le vendeur trouvait dans l'heure un preneur.

Le tableau

En remontant l'avenue du Général-de-Gaulle, au centre-ville, on débouche sur le rond-point Kassaï avec sa stèle arborant une plaque commémorative on ne peut plus diserte :

Aux Français Libres du Moyen-Congo unis pour libérer la Mère Patrie sous l'insigne de la Croix de Lorraine. 18 juin 1940 – 28 août 1940…

Pointe-Noire conserve jalousement son passé de ville coloniale, le rond-point rappelant la ligne de démarcation entre ce qu'étaient autrefois la « cité blanche » d'un côté et les « quartiers indigènes » de l'autre. Les autochtones quittaient alors leurs taudis insalubres très tôt le matin et se rendaient dans la « ville blanche » pour vendre leur force de travail comme jardiniers, commis de cuisine, boys, etc. Le romancier camerounais Eza Boto (Mongo Beti) est sans conteste l'un des auteurs d'Afrique noire francophone qui auront le mieux décrit la ville coloniale. Dans son roman *Ville cruelle*, le nord de la cité de Tanga est une « petite France » importée sous les tropiques, avec ses bâtiments somptueux, ses artères fleuries, tandis que le sud croupit dans la misère la plus extrême, sans électricité et où, quand la ville dort, la pègre sème la terreur.

Le centre-ville ponténégrin est donc en quelque sorte

un territoire français comme semble l'indiquer la plaque commémorative du rond-point Kassaï. Rien d'étonnant qu'à deux pas de là se trouve le Centre culturel français – désormais dénommé « Institut français du Congo à Pointe-Noire », au grand dam des Ponténégrins qui se demandent ce qu'apporte une telle appellation par rapport à l'ancienne, plus ancrée dans les mémoires.

C'est un bâtiment de deux étages avec, au premier, quatre appartements : celui du directeur et les trois autres pour les bénévoles internationaux, les artistes ou les écrivains invités par l'Institut. C'est dans l'un de ces derniers que je réside depuis une dizaine de jours et je le quitterai après-demain. Quelques œuvres d'art de Congolais sont disposées sur les murs du salon. Je cherche en vain les noms de ces artistes dont le talent demeurera vraisemblablement ignoré du public. Parmi ces peintures, l'une d'elles m'intrigue : elle représente une jeune femme dont le regard éteint instille une atmosphère de tristesse dans la pièce. À mon arrivée j'avais pensé la déplacer, et puis je remettais chaque fois au lendemain, sans doute par fainéantise ou alors à cause du pouvoir secret de ce personnage dont je pressentais qu'il n'apprécierait pas trop mon geste. Afin d'échapper à son regard, je ne tournais plus la tête vers la droite lorsque je m'installais dans le fauteuil pour écrire. Parfois je lui donnais le dos, mais cela ne durait pas longtemps, une voix me soufflait que la femme lisait par-dessus mon épaule et était à l'origine de la plupart de mes ratures. Comme si elle s'opposait à cet inventaire du passé que j'établissais au jour le jour alors qu'elle ignorait tout de mon enfance et que je devais être son aîné malgré l'âge que lui avait affecté son créateur et qui la catapultait dans une époque ancienne. Puisqu'il ne me reste plus que deux jours ici, déplacer cette femme au regard éteint m'entraînerait plus de scrupules que de confort. Elle était là, elle sera encore là, et moi je ne suis que de passage. Le directeur de l'Institut, Éric Miclet, m'a certifié qu'il l'avait trouvée au même endroit lors de la prise de ses fonctions et qu'il était du genre à ne pas bousculer ce qui se fondait très bien dans le décor. D'un ton plus que moqueur il avait affirmé :

– Elle est un peu la gardienne de cet appartement ! Elle a tout vu, elle a tout entendu depuis des années. Mais jamais au grand jamais elle n'a rapporté quoi que ce soit sur les invités qui ont séjourné ici...

Dès que la porte s'ouvre, la femme fronce les sourcils et semble bouder la lumière. Je me suis donc arrangé jusqu'à présent pour vite refermer la porte après moi, de sorte que cette personne garde l'image qu'elle voudrait donner d'elle : une femme solitaire, avec une expression ténébreuse qui lui dessine des rides au niveau des lèvres et des yeux.

Ce tableau n'a pas été achevé à l'arrière-plan où quelques oiseaux sont dépourvus d'ailes, et le ciel est à peine esquissé. Je songe de temps à autre au film *Le Tableau* de Jean-François Laguionie, dans lequel un peintre a laissé un tableau inachevé et où l'on voit un château, des jardins et une étrange forêt. Il y a trois catégories de personnages dans l'œuvre : les Toupins – entièrement peints –, les Pafinis – dont il manque encore quelque chose – et les Reufs – qui sont tout juste ébauchés. Les Toupins traquent les Pafinis et prennent les Reufs en captivité. Il n'y a plus que le Peintre lui-même qui pourrait ramener la paix entre ses protagonistes. Ramo, Lola et Plume partent alors à la recherche de cet artiste pour que celui-ci vienne terminer le tableau...

Je ne voudrais pas, moi aussi, traquer le peintre de ce tableau congolais. Je me contenterai de ce que m'a dit Éric Miclet : ne jamais bousculer ce qui se fond dans le décor...

La maison des contes

Chaque fois que je monte les escaliers de l'Institut, je me rappelle que je les gravissais déjà à douze ans lorsqu'il n'y avait là-haut que des livres et des lecteurs venus des quartiers les plus isolés de Pointe-Noire. Des travaux considérables ont été effectués entre-temps, je ne m'y retrouve toujours pas. La salle de spectacle a été cédée et un nouvel espace scénique a été ouvert à l'arrière-cour du bâtiment. Des jeunes gens arrivent tôt le matin dans le cyberespace du rez-de-chaussée et n'en repartent qu'à la fermeture.

Ce lieu était jadis l'unique bibliothèque de la ville, avec un rayon de littérature de jeunesse que nous fréquentions régulièrement. Je me mettais dans un coin, près de la fenêtre, et me plongeais dans la lecture des bandes dessinées dont les héros, séquestrés dans cette pièce, avaient du mal à repartir pour d'autres aventures parce que nous les retenions, de peur qu'ils aillent fasciner d'autres gamins à l'étranger. Pour nous, ils étaient vivants, ils étaient faits de chair et d'os. Nous pénétrions dans l'enceinte avec le sentiment que nous quittions Pointe-Noire pour une longue traversée d'un imaginaire dont nous étions les captifs. Combien d'entre nous ne portaient pas les noms de ces héros et agissaient comme eux ? C'était le cas de Sosthène, un jeune homme bien musclé du quartier Rex. Il adulait tellement Tarzan qu'il se faisait appeler ainsi, mais nous savions qu'il n'était pas ce personnage car, chaque fois qu'il essayait de se balancer d'un arbre à l'autre, il tombait et boitait pendant quelques jours. Le héros Zembla était le plus proche de nous, son nom nous paraissant « très africain », comparé à ceux de Tintin ou de Blek le Roc. Nous avions un faible pour ses amis Rasmus, Pétoulet, Takuba, Satanas, Bwana, et surtout Yéyé, un enfant noir comme nous à qui nous ne souhaitions pas qu'il arrive quelque chose de grave. Les maladresses du prestidigitateur Rasmus nous causaient des fous rires. Lorsqu'il ratait ses tours de magie, nous nous sentions touchés et espérions qu'il arriverait un jour ou l'autre à être le plus grand illusionniste du monde. Beaucoup des amis de Zembla étaient des animaux – ce qui nous rassurait puisque nous croyions que les bêtes sauvages avaient une âme, qu'elles étaient aux origines de l'espèce humaine et que chacun de nous avait son double animal caché quelque part dans la forêt. Le kangourou Pétoulet nous étonnait – il n'y avait pas d'animal de cette espèce dans notre pays et il venait d'un continent que nous ne pouvions situer sur la carte du monde collée sur le mur de notre classe. Pétoulet était donc pour nous le plus gentil des fauves. Alors que le lion et la panthère étaient des carnivores, Pétoulet, lui, était ce qu'on appellerait aujourd'hui un végétarien. Pourtant il devait chasser afin de nourrir toute la bande qui entourait Zembla, surtout ce glouton de Satanas.

Le lion Bwana nous épouvantait, certes, or il n'était pas aussi méchant que dans nos contes où ce carnivore dévorait les enfants jusqu'à ce que le plus petit de ceux-ci, aidé par les génies de la forêt, le terrasse enfin. Ce nom de Bwana – que nous trouvions aussi chez

Tarzan – n'était pas une insulte pour nous, même s'il avait fini par symboliser la soumission, la domination alors qu'il signifie « maître » en swahili.

J'ignorais que dans une bibliothèque on pouvait lire les livres selon son humeur, en choisissant pêle-mêle les ouvrages. Moi je respectais l'ordre alphabétique, entamant la lecture des auteurs classiques de la littérature française dont les noms commençaient par la lettre A. Alain-Fournier était là avec son *Grand Meaulnes*. Jean Anouilh avec son *Antigone*. Guillaume Apollinaire, dont je ne m'attardais que sur le poème *Le Pont Mirabeau*. Tout comme Louis Aragon dont je ne lus que le poème *Les Yeux d'Elsa* du recueil éponyme. Je me souviens que je fis l'impasse sur Antonin Artaud et Marguerite Audoux pour vite entamer Marcel Aymé et ses *Contes du chat perché*, m'émouvant devant ce chat qui pouvait faire pleuvoir et restant admiratif face à Garou-Garou le passe-muraille. Si j'avais sauté Artaud et Audoux, c'était aussi pour vite atteindre Balzac dont les romans, à eux seuls, prenaient une place gigantesque dans cette bibliothèque. À cette allure – à moins de faire un trait sur certains écrivains –, je n'étais pas près d'arriver jusqu'à Zola. Chaque fois que je voyais un des lecteurs avec l'ouvrage de cet écrivain, je me demandais comment il s'était arrangé pour lire tous les romans de la bibliothèque. Pour me rassurer, je me disais qu'il avait triché, qu'il crânait avec les œuvres de Zola pour épater les filles. Et donc, lorsque j'étais seul, je parcourais mes *Contes du chat perché*, mais dès que je voyais les filles, j'ouvrais les pages de *Germinal* et prenais l'air de celui qui était studieux dans ses lectures au point d'avoir terminé toute la bibliothèque. Si un camarade venait vers moi et s'étonnait que Marcel Aymé soit sur ma table, j'avais une réponse toute faite : « J'ai fini tous les livres de A à Z, et maintenant je lis les premiers et les derniers… »

Plus tard, arrivé à Nantes pour poursuivre mes études de droit, je tombai un vendredi soir sur *Apostrophes*, une émission littéraire animée par Bernard Pivot. Je bondis de ma chaise en constatant qu'il recevait Jean Dutourd dont j'avais lu *Une tête de chien*, livre dans lequel un enfant avait une tête d'épagneul et de grandes oreilles, ce qui lui fit subir toutes sortes de brimades, à l'école, pendant son service militaire et dans la vie quotidienne jusqu'à ce qu'il trouve son amour. Je me retournai vers mes amis français et leur dis :

– J'ai lu cet auteur en Afrique !

Un d'eux, surpris, me demanda :

– Jean Dutourd ? Il est au programme en Afrique ?

– Non, mais il est bien placé…

– Comment ça, « il est bien placé » ?

– Dans la bibliothèque du Centre culturel français de Pointe-Noire, cet auteur était rangé à la lettre D, après Alphonse Daudet, Denis Diderot, Alexandre Dumas…

– Je ne comprends pas !

La perplexité de cet ami m'avait repoussé dans ma carapace. Je n'ai pas voulu lui expliquer en détail mes aventures, et nous avons écouté sagement Dutourd, un vieux moustachu à lunettes qui parlait avec enthousiasme du dernier livre qu'il venait de publier…

Adieu ma concubine

Mon avion est prévu ce soir à vingt-trois heures. Je repars donc ce jour, un dimanche si tranquille que même les voitures roulent au ralenti sur l'avenue du Général-de-Gaulle alors que dans la semaine cette artère est l'une des plus animées de la ville.

Du balcon, je considère l'hôpital Adolphe-Sicé sans me rendre compte que mon café a refroidi. Bienvenüe est toujours hospitalisée. Il faut que j'aille lui dire au revoir, un geste qu'elle apprécierait, j'en suis sûr.

Deux corbeaux enamourés se bécotent au-dessus de l'établissement hospitalier. Un couple dont le plus agité est un mâle en rut. Ils s'accouplent, feront des petits au plumage aussi sombre que le leur pendant que certains malades, eux, partiront au pays où le soleil ne se lève jamais. Tout en observant leurs ébats, je songe à ce que je n'ai pas fait, à ce que j'aurais dû faire pendant ce périple. Par exemple me rendre au cimetière Mont-Kamba où reposent mes parents. C'est ce qu'aurait fait n'importe quel fils. Je n'avais pourtant pas noté cela dans la liste de mes visites. Parce que maman Pauline et papa Roger sont venus vers moi. Ils sont dans cette pièce depuis que j'y réside. Ils me voient écrire, corrigent de temps à autre mes égarements et me soufflent ce qu'il faut consigner. Et

241

puis, je me dis que si je m'étais rendu au cimetière les autres défunts – mes oncles René et Albert, mes tantes Sabine et Dorothée, entre autres – m'en auraient voulu et ne m'auraient pas pardonné de n'être pas arrivé jusqu'à leur sépulcre. Une autre raison m'a retenu d'y aller : les défunts sont embarrassés lorsque les vivants font irruption dans leur jardin des allongés avant le jour de la fête des morts. Ils ne tolèrent pas que quelqu'un pénètre ainsi dans leur chambre à coucher et les oblige à vite enfiler des habits convenables pour le recevoir…

Hier j'ai tenu à ne rencontrer personne. Je suis resté seul dans l'appartement à tourner en rond entre le balcon, le salon et la chambre à coucher. C'est le jour où j'ai le plus mis le nez dans mes écrits. Épuisé, je me suis assoupi, rêvant que j'avais des ailes, que je traversais la forêt du Mayombe jusqu'à échouer à Les Bandas, le village où ma mère avait acheté un vaste champ de manioc et de maïs et avait construit une maison en terre cuite. Dans ce songe tonton Jean-Pierre Matété m'informait que la maison et le champ étaient toujours là, qu'il faudrait que je m'en occupe car Les Bandas n'est plus un village : une autoroute passe désormais par là et mène jusqu'à Brazzaville.

Je me suis réveillé en sursaut à cause du bruit de la fenêtre qui s'était refermée violemment avec le vent. J'ai regardé pendant longtemps le tableau accroché au mur : la femme triste m'a souri. Du moins c'est ce que j'ai cru au moment où je me suis approché d'elle et que j'ai senti son visage se détendre, ses yeux s'illuminer avec la lueur du jour. Elle avait tout à coup les traits de ma mère…

J'avais souhaité me saouler le soir jusqu'à oublier que j'avais foulé la terre de mon royaume d'enfance. À quoi bon ? Pour ressembler à ce jeune homme que j'avais croisé en fin d'après-midi avant-hier dans le quartier Rex, un sans-abri qui paraissait heureux. Il voulait être pris en photo, montrer au monde entier qu'il vivait de peu, qu'il buvait dans son petit verre et s'en contentait.

– Je ne suis rien, mais je suis tout, avait-il lancé. Ma mère c'est la rue. Mon père c'est le soleil. Que veux-tu que je demande de plus au destin ?

Or la rue est la mère de tout le monde, de même que le soleil. Il était fier d'être un enfant de la rue. Et aussi un enfant du soleil.

– Je m'appelle Yannick, je veux être ton petit frère… Est-ce que tu m'accepterais ?

J'avais hésité, trouvant sa requête un peu farfelue. Et puis j'avais fini par accepter. Pourquoi d'ailleurs aurais-je dit non alors que je m'étais jusque-là inventé une fraternité en carton-pâte ?

Le soir j'ai rangé peu à peu mes affaires. Les plus précieuses étaient ces feuilles de cahier froissées et jetées dans la poubelle de la cuisine. Il y en avait aussi tout autour et il m'était impossible de toutes les relire. J'imaginais déjà la tête des douaniers ponténégrins lorsqu'ils ouvriraient ma valise et tomberaient sur cette paperasse. Ils me prendraient pour un débile mental ou pour un espion qui aurait dissimulé des informations capitales dans ce désordre. Se douteraient-ils qu'il y avait un peu de leur vie dans ces ratures nées des tergiversations de l'écriture ?

J'ai aussi rangé des livres publiés à compte d'auteur que plusieurs écrivains locaux m'avaient remis. Je me suis promis de les lire en Europe ou en Amérique.

Il y a toujours quelque chose d'enrichissant dans la souffrance d'un créateur qui espère que sa bouteille à la mer arrivera à destination. Savoir que leurs œuvres prendraient l'avion les réjouissait et les inquiétait à la fois. Ils étaient heureux parce que, pour un temps, je porterais le fardeau de leurs obsessions. Mais ils redoutaient aussi cette lecture puisque je leur avais rappelé que beaucoup de livres ne sont pas faits pour voyager et se désagrègent une fois que l'avion traverse les frontières. Ce sont des livres qui ne peuvent être lus que dans le lieu où ils ont été écrits. Ils n'ont pas de passeport, ne supportent pas les variations climatiques et trouvent que l'été du Nord n'est pas aussi chaud qu'une canicule des tropiques...

*

Le chauffeur de taxi range mes bagages dans le coffre pendant que ma compagne prend les dernières photos des environs de l'Institut français et s'engouffre dans le véhicule.

Je regarde encore les lampadaires de l'avenue du Général-de-Gaulle. Cette lueur jaunâtre et ces insectes qui tournoient autour me donnent des vertiges. Au fond, cette ville et moi sommes dans une union libre, elle est ma concubine et, cette fois, je semble lui dire adieu. L'émotion est si vive qu'aucune larme ne coule de mes yeux.

J'entre enfin dans le taxi avec une interrogation qui ne me quitte pas et à laquelle je sais que je ne pourrai donner une réponse exacte : quand reviendrai-je encore à Pointe-Noire ?

Post-scriptum

Le 15 juillet 2012 j'ai appris par un coup de fil de Gilbert que grand-mère Hélène venait de mourir. Soit, jour pour jour, trois semaines après mon départ de Pointe-Noire. La vieille n'avait donc pas tort : elle avait attendu une femme blanche pour sa délivrance. Comme les autres membres de la famille, j'ai donné ma cotisation, une somme que j'ai envoyée par Western Union et que Gilbert est allé remettre au veuf, le Vieux Joseph, devant témoins. Parce que tant de familles se sont déchirées à cause de cela. On exagère toujours une somme qui vient d'un parent vivant à l'étranger. Quand Gilbert m'a appelé, il a mis le haut-parleur :

– Cousin, je suis entouré de dix personnes, y compris tonton Mompéro et Grand Poupy, est-ce que tu peux nous dire toi-même combien tu viens d'envoyer pour les funérailles de grand-mère Hélène ?…

J'ai dit la somme, il a répété à haute voix le montant de sorte que les autres ne lui fassent pas un mauvais procès.

Quand j'ai raccroché, j'ai revu la vieille dame immobile dans sa moustiquaire et sa main qui m'avait agrippé comme pour se rattacher à la vie…

*

J'ai eu de nouveau Gilbert au téléphone. Sa sœur jumelle Bienvenüe est sortie de l'hôpital Adolphe-Sicé juste le lendemain de l'enterrement de grand-mère Hélène. Il avait l'air de celui qui vient de gagner une victoire :

– Parce que, cousin, tu vois, quand elle était hospitalisée là-bas, c'était un peu moi qui y étais aussi ! On a partagé le même ventre, on a pataugé dans le même liquide amniotique ! Et puis, dis-moi la vérité : toi aussi tu avais un peu peur, non ? C'est pour ça que tu ne lui as pas rendu visite alors que tu habitais en face ! Moi je te comprends, est-ce que tu te rends compte que c'est la première fois qu'un membre de notre famille a été hospitalisé dans cette chambre 1 et en est sorti vivant, hein ? Mon père, ton oncle, n'est-il pas mort dans cette pièce ? J'avais peur, je priais tous les jours, j'étais même sur le point d'aller prier dans l'église pentecôtiste La Nouvelle Jérusalem, c'est te dire !

TABLE

Première semaine

Dernière semaine

Au jour le jour

poésie
Maison rhodanienne de poésie, 1993

La Légende de l'errance

poésie
L'Harmattan, 1995

L'Usure des lendemains

poésie
prix Jean-Christophe de la Société des poètes français
Nouvelles du Sud, 1995

Les arbres aussi versent des larmes

poésie
L'Harmattan, 1997

Bleu Blanc Rouge

roman
Grand Prix littéraire de l'Afrique noire
Présence africaine, 1998

Quand le coq annoncera
l'aube d'un autre jour…

poésie
L'Harmattan, 1999

L'Enterrement de ma mère

récit
Éditions Kaléidoscope (Danemark), 2000

Et Dieu seul sait comment je dors

roman
Présence africaine, 2001

Les Petits-Fils nègres de Vercingétorix

roman
Le Serpent à Plumes, 2002
et «Points», n° P1515

Contre-offensive
(ouvrage collectif de pamphlets)
Pauvert, 2002

Nouvelles Voix d'Afrique
(ouvrage collectif de nouvelles)
Éditions Hoebeke, 2002

African psycho
roman
Le Serpent à Plumes, 2003
et « Points », n° P1419

Nouvelles d'Afrique
(ouvrage collectif de nouvelles
accompagnées de photographies)
Gallimard, 2003

Tant que les arbres s'enracineront dans la terre
poésie
L'Harmattan/Mémoire d'encrier (Canada), 1995-2004
et « Points », n° P1795
nouvelle édition
Tant que les arbres s'enracineront dans la terre
suivi de
Congo
« Points Poésie », n° P4612, 2017

Verre Cassé
roman
prix Ouest-France/Étonnants Voyageurs 2005
prix des Cinq Continents 2005
prix RFO 2005
Seuil, 2005
et « Points », n° P1418

Vu de la lune
(ouvrage collectif de nouvelles)
Gallimard, 2005

Mémoires de porc-épic
roman
prix Renaudot 2006
Seuil, 2006
et « Points », n° P1742

Lettre à Jimmy

récit
Fayard, 2007
et « Points », n° P2072

Black Bazar

roman
Seuil, 2009
et « Points », n° P2317

L'Europe depuis l'Afrique

(avec Christophe Merlin)
Naïve, 2009

Anthologie
Six poètes d'Afrique francophone

(direction d'ouvrage)
« Points Poésie », n° P2320, 2010

Ma sœur étoile

(illustrations de Judith Gueyfier)
Seuil Jeunesse, 2010

Demain j'aurai vingt ans

roman
prix Georges-Brassens
Gallimard, 2010
et « Folio », n° 5378

Écrivain et oiseau migrateur

André Versaille éditeur, 2011

Le Sanglot de l'homme noir

essai
Fayard, 2012
et « Points », n° P2953

Tais-toi et meurs

roman
La Branche, 2012
et « Pocket », n° 15300

Petit Piment
roman
Seuil, 2015
et « Points », n° P4465

Lettres noires
Des ténèbres à la lumière
leçon inaugurale
Fayard, 2016

Le monde est mon langage
essai
Grasset, 2016
et « Points », n° P4635

Les cigognes sont immortelles
roman
Seuil, 2018

RÉALISATION : NORD COMPO À VILLENEUVE-D'ASCQ
IMPRESSION : CPI FRANCE
DÉPÔT LÉGAL : AOÛT 2018. N° 134965-3 (2058599)
IMPRIMÉ EN FRANCE

Éditions Points

Le catalogue complet de nos collections est sur
Le Cercle Points, ainsi que des interviews de vos
auteurs préférés, des jeux-concours, des conseils
de lecture, des extraits en avant-première...

www.lecerclepoints.com